Matemáticas

Quinto grado

Matemáticas. Quinto grado fue elaborado en la Dirección General de Materiales y Métodos Educativos de la Subsecretaría de Educación Básica y Normal de la Secretaría de Educación Pública

Autores
Alicia Ávila Storer, Hugo Balbuena Corro, Irma Fuenlabrada Velázquez y Guillermina Waldegg Casanova

Colaboradores
Martha Dávila Vega, Dolores López Ruvalcaba, Mónica Schulmaister Lagos, Ruth Valencia Pulido y Bertha Vivanco Ocampo

Revisores
David Block Sevilla, Elisa Bonilla Rius e Irma Saiz Martí

Apoyo institucional
Departamento de Investigaciones Educativas del Centro de Investigación y de Estudios Avanzados del Instituto Politécnico Nacional y Universidad Pedagógica Nacional, Unidad Ajusco.

Coordinación editorial y cuidado de edición
María Ángeles González

Portada
Diseño: Comisión Nacional de Libros de Texto Gratuitos
Ilustración: *Serpientes*, 1980.
Gouache sobre papel, 59 x 47 cm,
Francisco Toledo (1940-).
Colección: Galería de Arte Mexicano
Fotografía: Jesús Sánchez Uribe

Servicios editoriales

Producción fotográfica
Penélope Esparza

Fotografía
Dante Bucio y Carlos Hahn

Ilustración
Raúl Cano

Diseño
Rocío Mireles
Asistente: Fernando Villafán
Formación: Gabriel González Meza

Primera edición, 2000
Cuarta edición revisada, 2002 (ciclo escolar 2003-2004)

D.R. © Secretaría de Educación Pública, 2000
        Argentina 28, Centro,
        06020, México, D.F.

ISBN 970-18-8273-3

Impreso en México
DISTRIBUCIÓN GRATUITA-PROHIBIDA SU VENTA

Presentación

La renovación de los libros de texto gratuitos es parte del proyecto general de mejoramiento de la calidad de la educación primaria que desarrolla el gobierno de la República. Para cumplir tal propósito, es necesario contar con materiales de estudio actualizados, que correspondan a las necesidades de aprendizaje de los niños y que incorporen los avances del conocimiento educativo.

Este libro fue elaborado en el año 2000 y sustituye al que fue seleccionado como libro ganador en el concurso abierto celebrado en 1993. La Secretaría de Educación Pública ha tomado en cuenta las opiniones de muchos maestros y alumnos, así como uno de los propósitos fundamentales del Programa Educativo 1995-2000, en el sentido de lograr la mayor coherencia posible entre los materiales que utilizan los niños mexicanos para el estudio de las matemáticas.

La coherencia se busca en dos aspectos fundamentales, en la secuencia de los contenidos matemáticos que se estudian de un grado a otro y en el tratamiento didáctico de los mismos, para lograr que los niños y niñas, con ayuda de sus maestros y maestras, aprendan matemáticas al resolver problemas.

La estructura de este libro comprende cinco bloques de lecciones cuya resolución por parte de los alumnos favorece el uso de procedimientos informales y su evolución hacia el uso de instrumentos matemáticos cada vez más eficaces. El papel que desempeñe el maestro es fundamental para organizar el estudio, socializar los procedimientos de los niños, ayudar a aclarar dichos procedimientos y vincular los recursos de los alumnos con aquellos que son los convencionales.

Este libro cuenta con un material recortable que permitirá garantizar el desarrollo de las actividades que se proponen.

Con la renovación de los libros de texto se hace realidad el proceso de perfeccionamiento continuo de los materiales de estudio para la educación primaria. Cada vez que la experiencia y la evaluación lo hagan recomendable, los libros del niño y los recursos auxiliares para el maestro serán mejorados, sin necesidad de esperar largo tiempo para realizar reformas generales.

Para que estas tareas tengan éxito es indispensable la opinión de los maestros y de los niños que trabajarán con este libro, así como las sugerencias de madres y padres de familia que comparten con sus hijos las actividades escolares. La Secretaría de Educación Pública necesita sus recomendaciones y críticas. Estas aportaciones serán estudiadas con atención y servirán para que el mejoramiento de los materiales educativos sea una actividad sistemática y permanente.

ÍNDICE

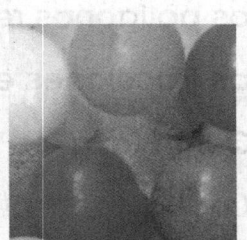
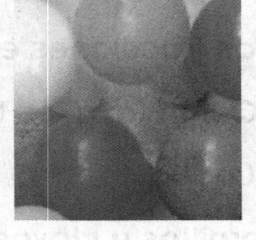

BLOQUE 2

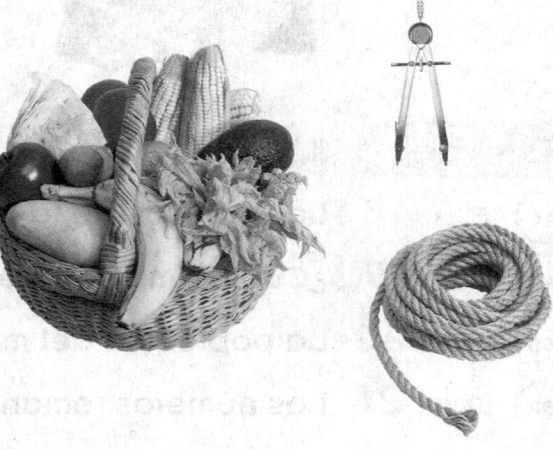

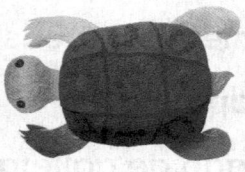

30%

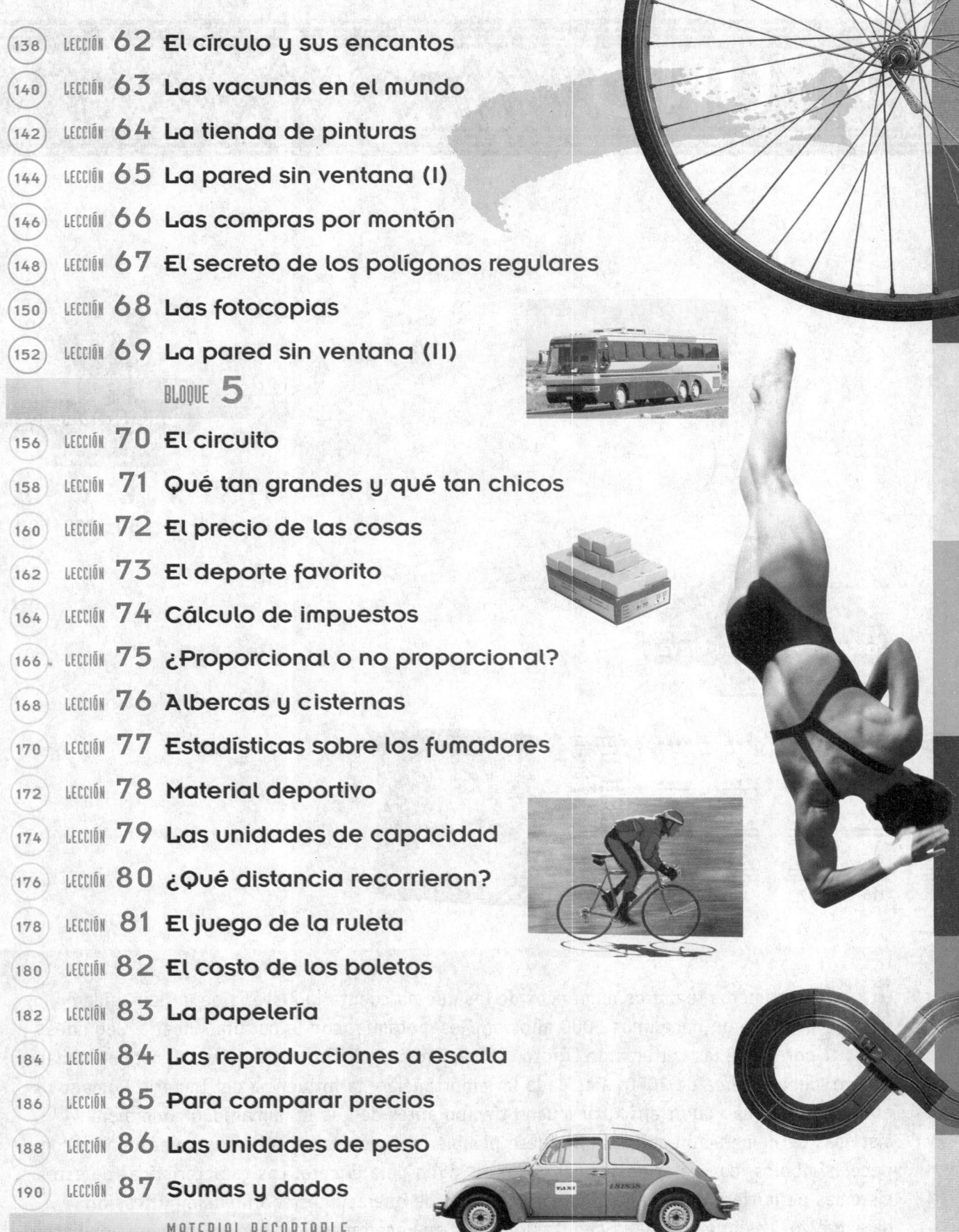

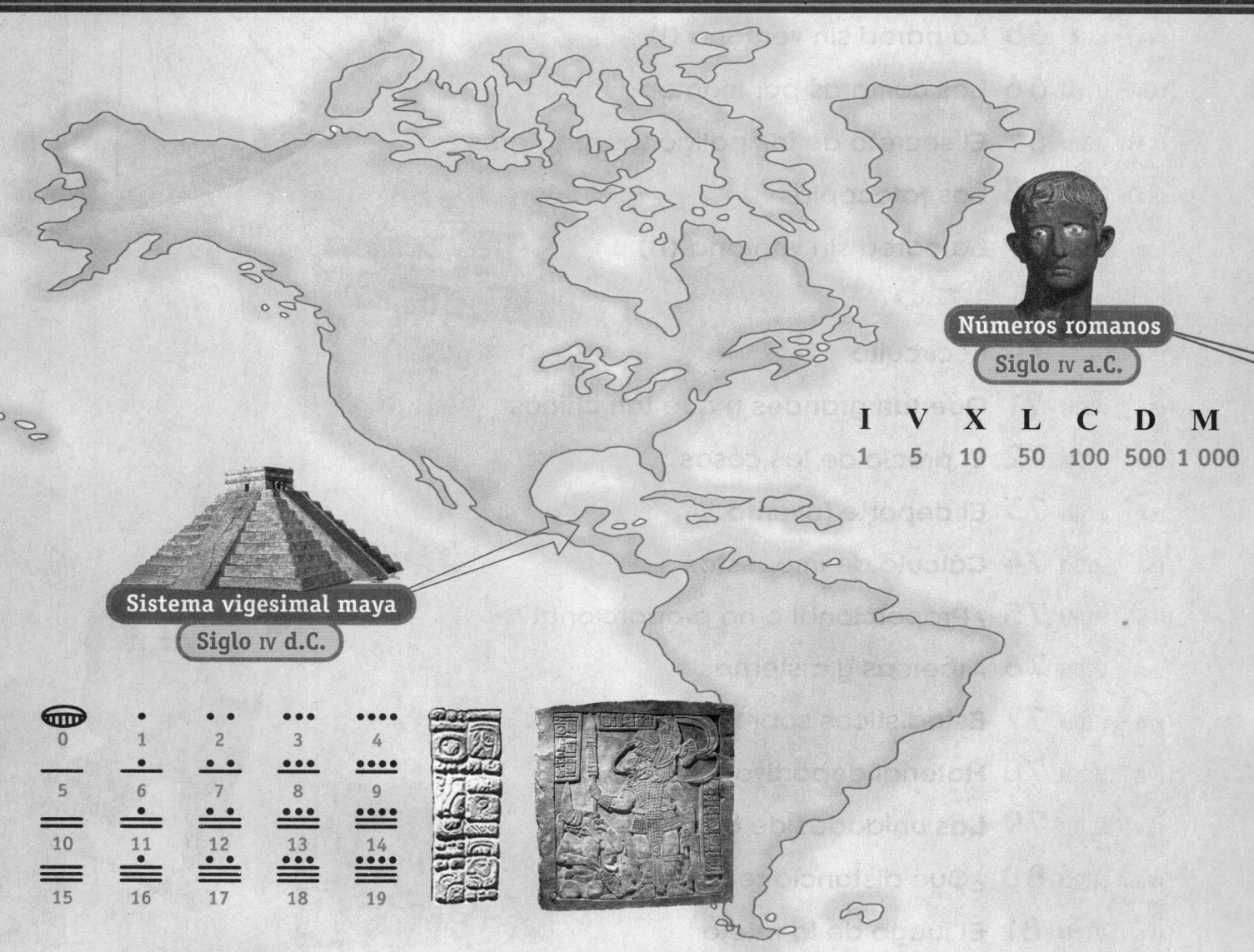

Números romanos
Siglo IV a.C.

I	V	X	L	C	D	M
1	5	10	50	100	500	1 000

Sistema vigesimal maya
Siglo IV d.C.

0	1	2	3	4
5	6	7	8	9
10	11	12	13	14
15	16	17	18	19

Los primeros registros numéricos de los que da cuenta la historia de la humanidad aparecieron hace unos 5000 años en Mesopotamia, con la cultura sumeria, seguidos por los de las culturas de Egipto, China, Grecia y Roma, entre otras. El sistema romano estuvo vigente cerca de 2000 años dada la importancia y la influencia del Imperio Romano en occidente. Tuvo que transcurrir mucho tiempo antes de que la humanidad concibiera sistemas de numeración con los que fuese posible la representación de cualquier número con pocos símbolos, con valor posicional y con un signo para el cero. Las características de estos sistemas permitieron, además, efectuar todo tipo de operaciones con una simplificación de esfuerzo. Los números de la civilización india aparecen mencionados por primera vez hace

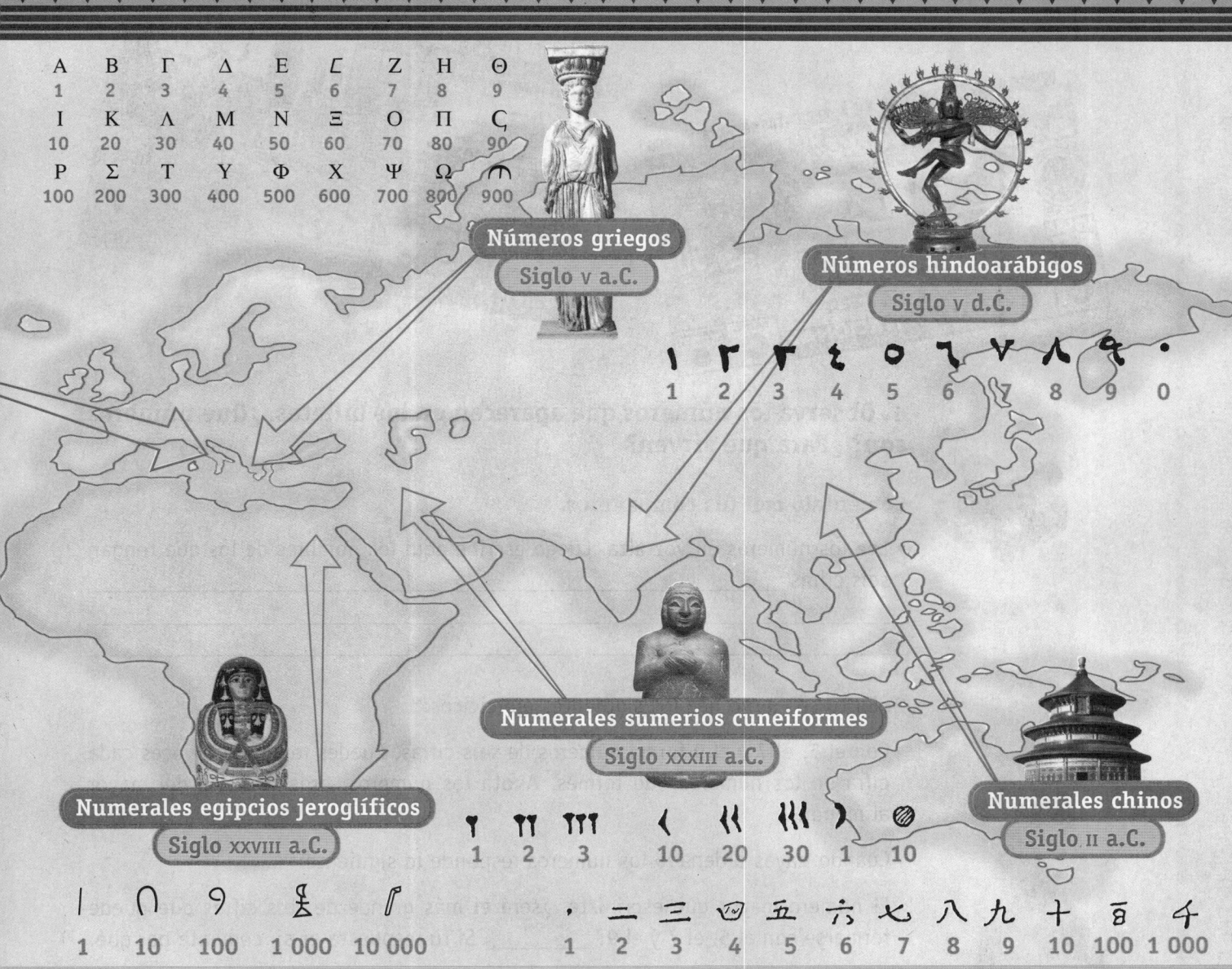

A	B	Γ	Δ	E	Ϝ	Z	H	Θ
1	2	3	4	5	6	7	8	9
I	K	Λ	M	N	Ξ	O	Π	Ϟ
10	20	30	40	50	60	70	80	90
P	Σ	T	Y	Φ	X	Ψ	Ω	ϡ
100	200	300	400	500	600	700	800	900

Números griegos
Siglo v a.C.

Números hindoarábigos
Siglo v d.C.

١	٢	٣	٤	٥	٦	٧	٨	٩	.
1	2	3	4	5	6	7	8	9	0

Numerales sumerios cuneiformes
Siglo xxxiii a.C.

Numerales egipcios jeroglíficos
Siglo xxviii a.C.

𒁹	𒁹𒁹	𒁹𒁹𒁹	𒌋	𒌋𒌋	𒌋𒌋𒌋		
1	2	3	10	20	30	1	10

Numerales chinos
Siglo ii a.C.

	10	100	1 000	10 000		一	二	三	四	五	六	七	八	九	十	百	千
1	10	100	1 000	10 000		1	2	3	4	5	6	7	8	9	10	100	1 000

alrededor de 600 años, y fueron dados a conocer en Europa por los árabes, por lo que se les conoce como números hindoarábigos. Este sistema coexistió en Europa con el sistema romano. Se trata de un sistema decimal de posición, con 10 signos diferentes, incluyendo uno para el cero. Sin embargo, el sistema vigesimal maya del sureste de México y Centroamérica, basado en puntos, barras, con cero y posición, antecede por casi 100 años al sistema decimal del Viejo Mundo. El sistema vigesimal maya dejó de usarse a partir de la Conquista, hace 500 años. Los europeos, en el momento de la conquista española se iniciaban apenas en el dominio del sistema decimal hindoarábigo, por lo que incorporaron en el nuevo mundo formas derivadas del sistema romano.

LECCIÓN

Billetes y números

1. Observa los números que aparecen en los billetes. ¿Qué números son? ¿Para qué sirven?

Coméntalo con tus compañeros.

• Lee los números en voz alta. Luego escribe aquí los nombres de los que tengan seis cifras _____

_____

_____

2. En tu cuaderno haz los siguientes ejercicicos:

• Con el 5, el 7 y el 9 forma números de seis cifras. Puedes repetir dos veces cada cifra en los números que formes. Anota los números, ordenándolos del mayor al menor.

• Cuando hayas ordenado los números responde lo siguiente:

El número mayor que escribiste, ¿será el más grande de seis cifras que puede formarse con el 5, el 7 y el 9? _____. Si tu respuesta es sí, comenta por qué.

Si tu respuesta es no, busca el número mayor que podías haber escrito y anótalo.

El número menor que escribiste, ¿será el menor de seis cifras que puede formarse con el 5, el 7 y el 9? _____. Si tu respuesta es sí, argumenta por qué.

Si tu respuesta es no, busca el número menor que podías haber escrito y anótalo.

• Haz un ejercicio parecido con las cifras 8, 6 y 4; luego con las cifras 1, 2 y 0.

Comenta con tu maestro y tus compañeros: ¿En qué te fijaste para saber el orden entre los números?

3. Completa los cuadros.

	100 001	100 002			100 005				100 009
	100 011	100 012							
				100 024					
						100 036			
					100 045				100 049

	300 100	300 200			300 500				300 900
400 000		400 200							
				500 400		500 600			
	600 100								
	700 100						700 700		
								800 800	

El primer cuadro termina en 100 049, escribe los tres números que le siguen.

_____

El segundo cuadro comienza en 300 000, escribe los tres números que le anteceden.

_____

4. Escribe tres números que se encuentren entre:

El número formado por 8 unidades de millar, 45 centenas y 15 unidades
y el número formado por 11 unidades de millar, 6 centenas y 30 decenas:

_____

El número formado por 2 centenas de millar, 7 decenas de millar y 80
decenas y el número formado por 2 centenas de millar, 4 decenas de
millar y 6 unidades:

_____

5. Utiliza tu calculadora y con un compañero realiza los siguientes ejercicios.

Escribe el número:	50 135
Réstale	1 801
Súmale	15 decenas
Réstale	7 centenas
Multiplícalo por	10
¿Qué número te resultó?	

Escribe el número formado por:	
8 unidades, 7 centenas y 2 decenas	
Súmale	10 centenas
Divídelo entre	4
Súmale	40 unidades de millar
¿Qué número te resultó?	

Compara tus respuestas con las de tus compañeros.

LECCIÓN ¿Quién tiene razón?

2

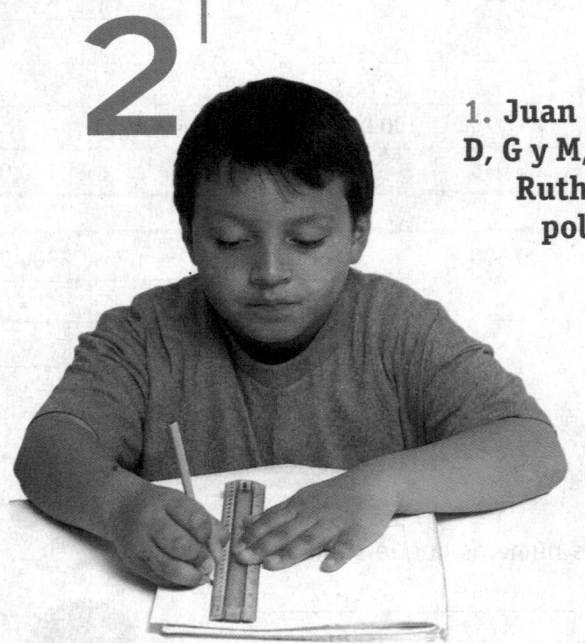

1. **Juan dice que un polígono es como las figuras D, G y M, que se encuentran en la página siguiente. Ruth dice que las figuras B y H también son polígonos.**

¿Quién crees que tiene razón, Juan o Ruth?

_____

• Trabaja con las figuras de la siguiente página. Juan trazó todos los ejes de simetría de cada una de las figuras y anotó sus resultados en la tabla, pero Ruth dice que a Juan le faltan cinco figuras. Ayuda a Juan a completar la tabla.

	No tiene ejes de simetría	Un eje de simetría	Dos ejes de simetría	Tres ejes de simetría	Cuatro ejes de simetría	Cinco ejes de simetría	Seis ejes de simetría	Siete ejes de simetría	Ocho ejes de simetría
Figuras	G M N	F	C H K		B	J		Ñ	A

2. Ruth se fijó en cuántos pares de lados paralelos tiene cada figura. También organizó sus resultados en una tabla, pero no la terminó. Ayuda a Ruth a completar la tabla.

	No tiene lados paralelos	Tiene un par de lados paralelos	Tiene dos pares de lados paralelos	Tiene tres pares de lados paralelos	Tiene cuatro pares de lados paralelos
Figuras	B				

3. Fíjate en otras características de las figuras, por ejemplo el número de lados, si los lados son iguales o no, si los ángulos son todos iguales o no. Haz en tu cuaderno una tabla, como la de Juan y Ruth, para que organices tus resultados.

• Con la siguiente información revisa lo que contestaste en el ejercicio 1:

12

Un polígono es una superficie limitada por lados rectos.

Con tu maestro y tus compañeros comenta las respuestas.

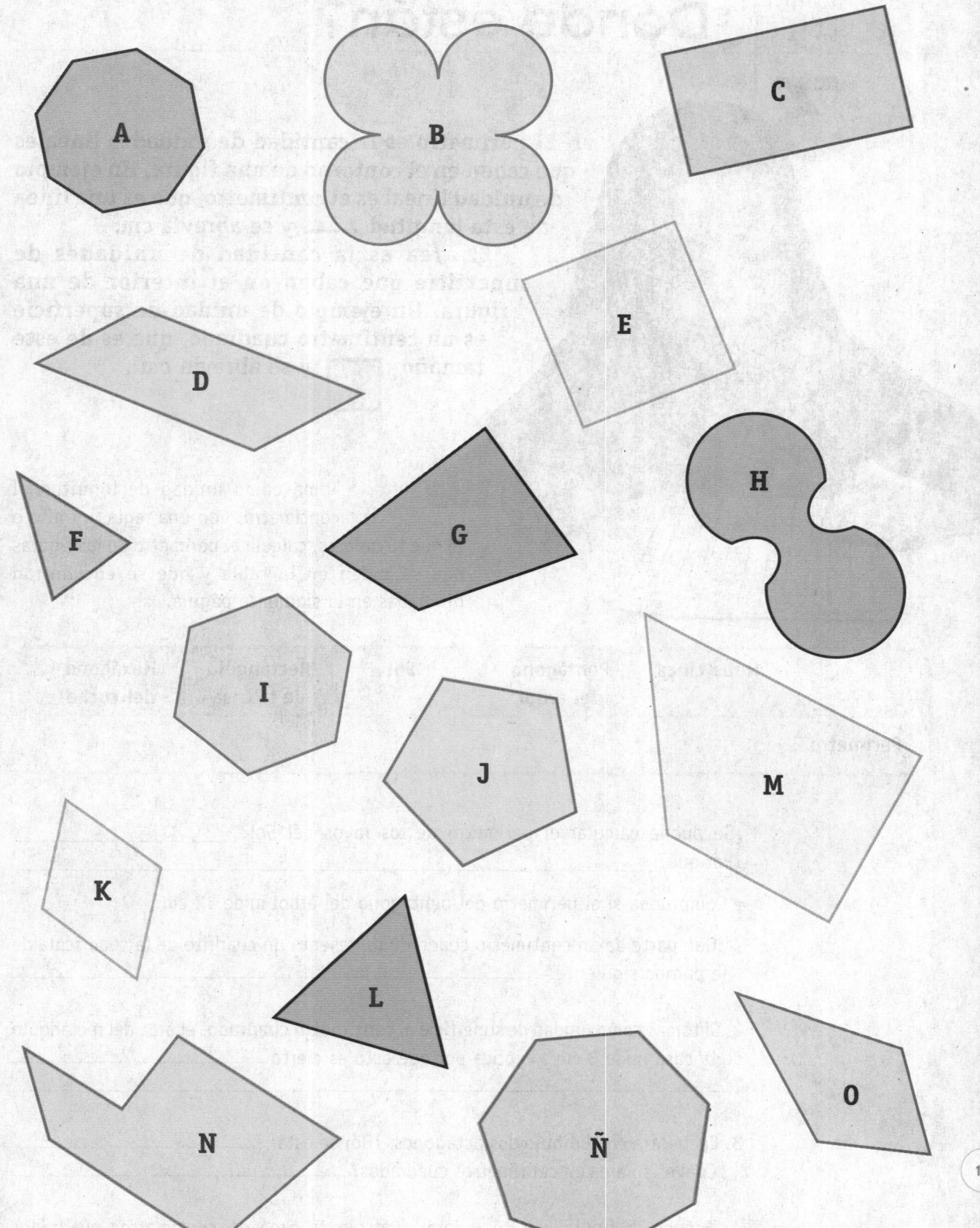

LECCIÓN

3

¿Dónde están?

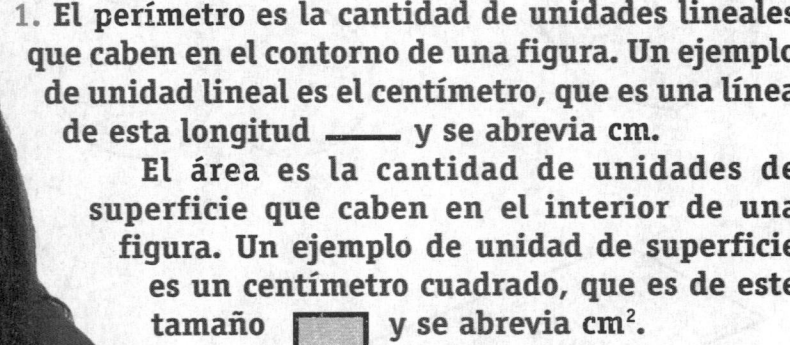

1. **El perímetro es la cantidad de unidades lineales que caben en el contorno de una figura. Un ejemplo de unidad lineal es el centímetro, que es una línea de esta longitud _____ y se abrevia cm.**

   El área es la cantidad de unidades de superficie que caben en el interior de una figura. Un ejemplo de unidad de superficie es un centímetro cuadrado, que es de este tamaño ▢ y se abrevia cm².

• Toma como unidad de longitud al centímetro. Con una regla, un hilo o lo que tú quieras, calcula el perímetro de las figuras que se piden en la tabla y que se encuentran dibujadas en la siguiente página.

	Nube chica	Pentágono del árbol	Sol	Rectángulo de la casa	Hexágono del coche
Perímetro					

¿Se puede calcular el perímetro de los rayos del Sol? _____
¿Por qué? _____

• Comprueba si el perímetro del pentágono del árbol mide 12 cm.

   ¿Qué parte de un centímetro cuadrado representa un cuadrito de la cuadrícula de la página siguiente? _____

2. Si tomas como unidad de superficie al **centímetro cuadrado**, el área del rectángulo de la casa mide 8 cm². Explica por qué esto es cierto _____
_____

3. Encuentra en el dibujo dos octágonos. ¿Dónde están? _____
   ¿Cuál es su área en centímetros cuadrados? _____

4. Escoge la figura que tú quieras. Calcula su área en centímetros cuadrados y su perímetro en centímetros.

14

5. Dibuja en la cuadrícula dos figuras diferentes de 14 cm de perímetro y 12 cm² de área.

1 cm²

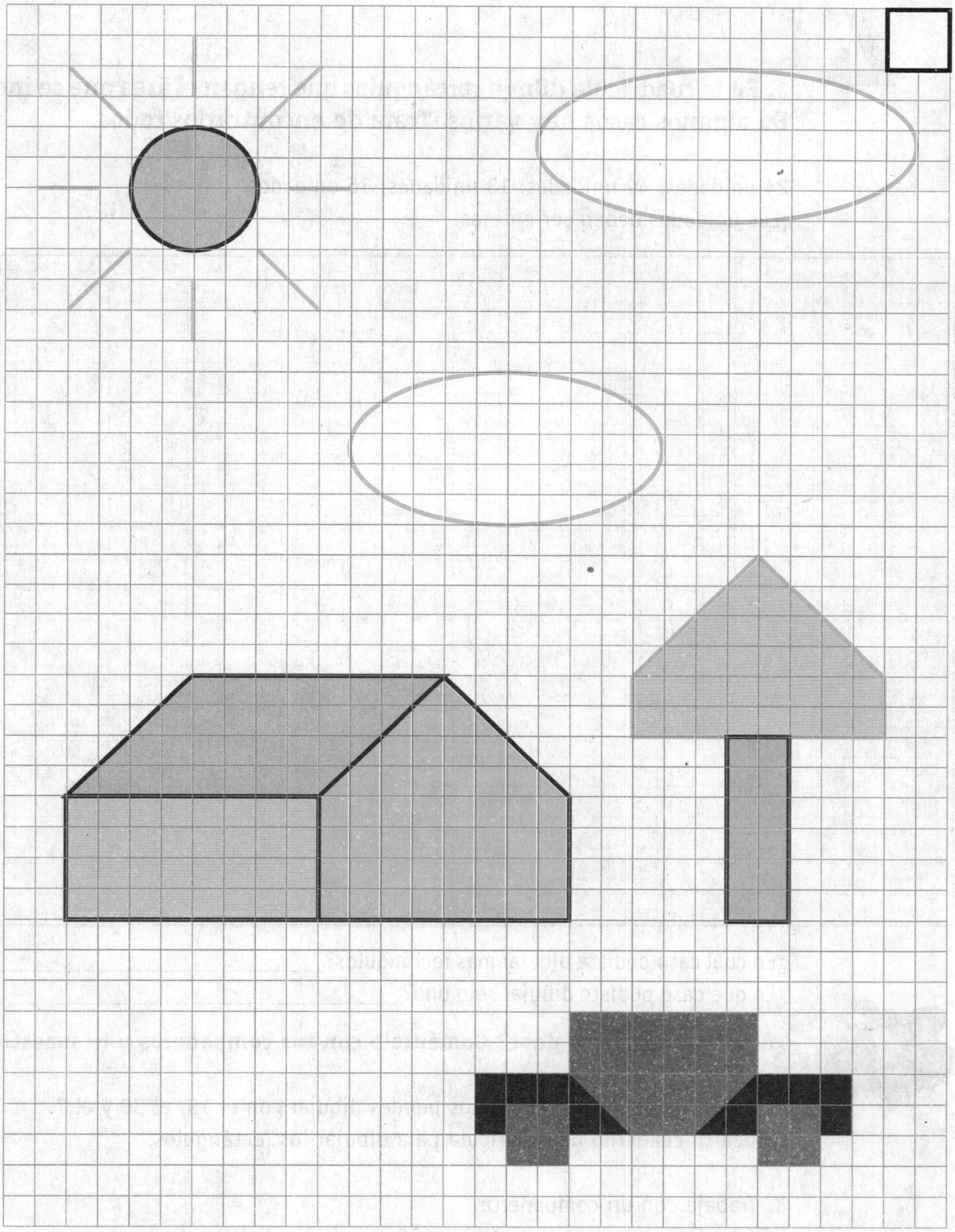

**Comenta con tu maestro y tus compañeros los resultados.
Explica cómo se obtuvieron y en dónde hubo dudas.**

15

LECCIÓN

Cuadros y números

4

1. En la cuadrícula dibuja rectángulos que tengan el área que se indica. En algunos casos hay varios. Trata de encontrarlos todos.

24 unidades; 49 unidades; 13 unidades; 36 unidades.
¡Las unidades deben ser enteras!

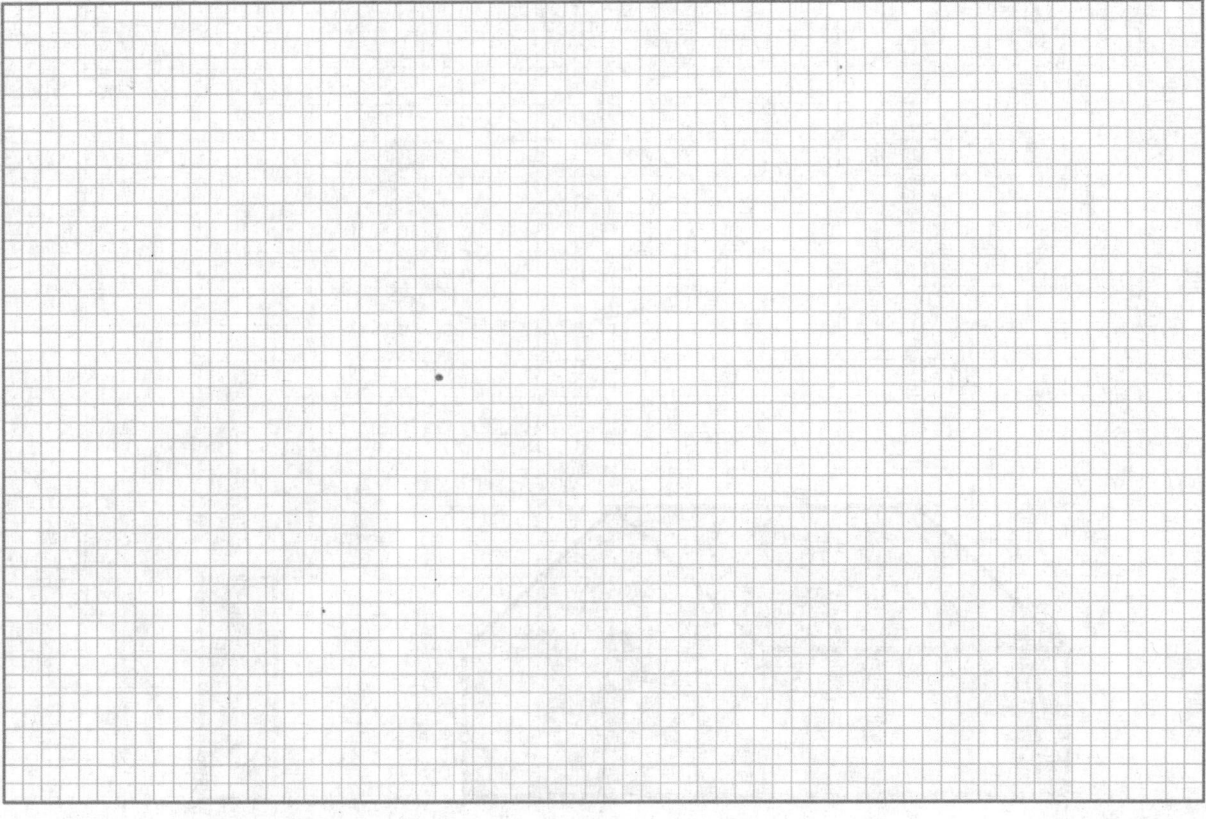

¿En cuál caso pudiste dibujar más rectángulos?_____

¿En qué caso pudiste dibujar sólo uno?_____.

¿A qué crees que se debe? Coméntalo con tus compañeros y tu maestro.

2. Investiga cuántos rectángulos puedes dibujar con el 15, el 30 y el 7.
Utiliza tu cuaderno de cuadrícula para dibujar los rectángulos.

3. Trabaja con un compañero:

- Tú le dices un número entre 2 y 100 para indicar el área.
- Él dibuja o dice las medidas de todos los rectángulos que tengan el área que tú dijiste.
- Luego, él te dice el área y tú dibujas o dices las medidas de todos los rectángulos que sea posible.
- Gana el que diga un número con el que se puedan dibujar más rectángulos.

4. Encuentra las multiplicaciones que den como resultado el número que está en la primera columna y escríbelas como se hace en el ejemplo.

24	12 x 2	8 x 3	6 x 4
40			
49			
72			

5. Anota las multiplicaciones que permiten calcular el número de cuadros de cada color y el total de cuadros que hay en cada rectángulo.

a)

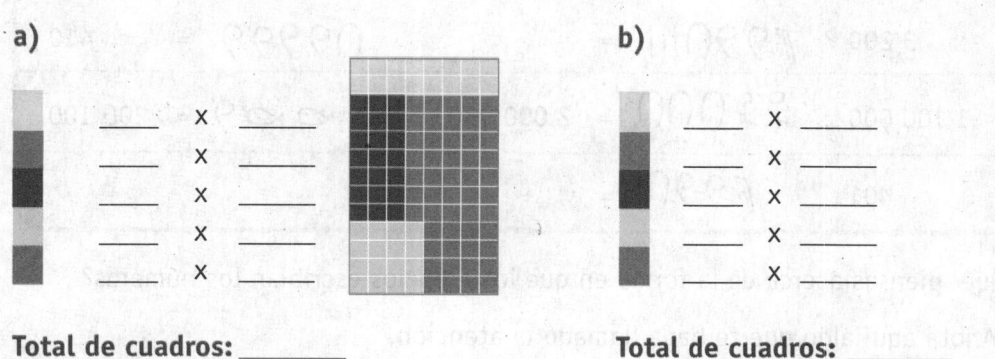

_____ x _____
_____ x _____
_____ x _____
_____ x _____
_____ x _____

Total de cuadros: _____

b)

_____ x _____
_____ x _____
_____ x _____
_____ x _____
_____ x _____

Total de cuadros: _____

6. Divide el rectángulo completo en otros más pequeños, con los colores que se indican. Luego anota las multiplicaciones correspondientes.

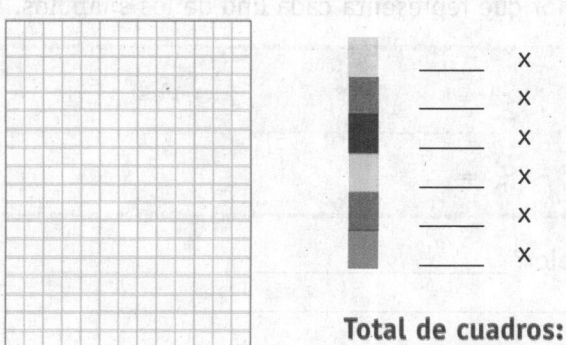

_____ x _____
_____ x _____
_____ x _____
_____ x _____
_____ x _____
_____ x _____

Total de cuadros: _____

7. Calcula el perímetro de los rectángulos que dibujaste en la página anterior y anota aquí los resultados.

Perímetro de los rectángulos con área 49:

_____

Perímetro de los rectángulos con área 36:

_____

Comenta lo que observas con tus compañeros y tu maestro.

LECCIÓN 5 | Formas de representar los números

1. El hermano de Raúl cursa la secundaria. Ahí le están enseñando los sistemas de numeración antiguos. Ahora está aprendiendo el egipcio. Resuelve el siguiente ejercicio, es como los que resuelve el hermano de Raúl.

99∩||||	= 214		= 90	ᚠᚠᚠ||||||| =	30 008
9⚶⚶⚶9	= 3 200	ᚠ99∩||| =		∩9999 =	410
⚶⚸	= 1 100 000	⚶⚶∩∩∩ =	2 000 030	⚸⚸9 =	200 100
	= 401	ᚠ99∩ =			

¿Qué piensas acerca de la forma en que los egipcios escribían los números?

• Anota aquí algo que te haya llamado la atención.

_____

_____

2. Completa la tabla. Anota el valor que representa cada uno de los símbolos.

9 =	| =	⚶ =	ᚠ =
∩ =	⚸ =	⚶ =	

¿Cuál símbolo representa mayor valor? _____

¿Cuál representa menor valor? _____

¿Cuántos símbolos distintos hay? _____

¿Hay un símbolo para representar el cero? _____

3. Representa los siguientes números en el sistema de numeración que se indica.

	Sistema decimal	Sistema egipcio
Un millón uno		
Siete		
Tres mil novecientos		
Ochocientos		

4. En la columna de la derecha ordena los siguientes números del menor al mayor.

∩ 9 ∩ ∣∣∣ 9 ∣∣∣ 9	
ℐℐ ∩∩	
𓆼 99999	
∩∩∩∩∩∩∩∩ ∣∣∣∣∣∣∣	
𓏴	
∣	

En la columna de la derecha ordena los siguientes números del menor al mayor.

1	
20 020	
1 000 000	
1 500	
88	
326	

¿En qué te fijaste para ordenar los números representados en el sistema egipcio?

Coméntalo con tu maestro y tus compañeros.

- Observa los números ya ordenados. ¿Qué comentarios puedes hacer?

5. Escribe en el cuadro las semejanzas y diferencias que encuentres entre el sistema de numeración egipcio y el sistema de numeración decimal que utilizamos actualmente.

Luego coméntalas con tu maestro y tus compañeros.

Semejanzas	Diferencias

Discute con tus compañeros y tu maestro: El sistema egipcio no era un sistema de numeración posicional, ¿qué querrá decir eso?

LECCIÓN

6 La feria

1. En los carteles de los puestos que hay en las ferias encontramos cantidades de varios tipos. Observa el cartel de la izquierda y responde: ¿Cuánto hay que pagar por 3 tamales, 4 elotes y 5 atoles?

TAMALES	ELOTES	ATOLE
$4.50 cada uno	$6.00 cada uno	$2.50 cada uno

Juego con aros
5 aros por $8.00

Globos
3 dardos por $5.00

Canicas
5 canicas por $6.00

• Para saber rápidamente cuánto tiene que cobrar, el dueño del puesto de comida usa tablas como las siguientes. Complétalas.

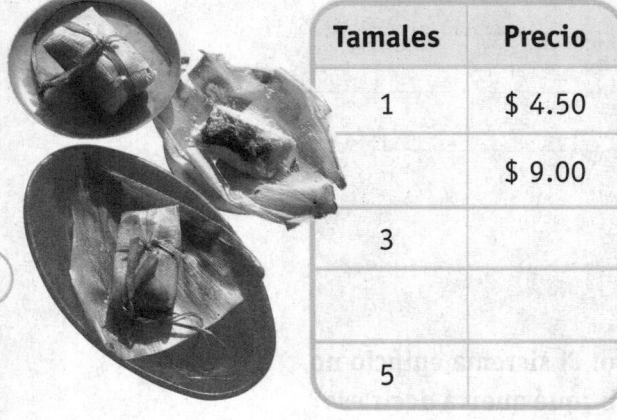

Tamales	Precio		Elotes	Precio		Atole	Precio
1	$ 4.50		1				
	$ 9.00			$ 12.00			$ 5.00
3						3	
5						5	

2. Comenta con tus compañeros: ¿Qué es más barato, lanzar una canica o lanzar un aro?_____ ¿Por qué?_____

_____

¿Qué es más barato, lanzar un aro o lanzar un dardo? _____
¿Por qué?_____

_____

Para contestar la pregunta anterior, Hilda usó el siguiente procedimiento.

Aros	Precio
5	$ 8.00
10	$ 16.00
15	$ 24.00

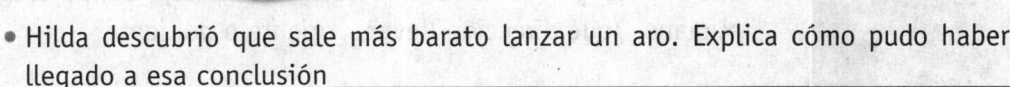

Dardos	Precio
3	$ 5.00
6	$ 10.00
9	$ 15.00
12	$ 20.00
15	$ 25.00

- Hilda descubrió que sale más barato lanzar un aro. Explica cómo pudo haber llegado a esa conclusión_____

_____

- Calcula qué es más barato, lanzar una canica o lanzar un dardo

_____

Comenta tu resultado con tus compañeros y tu maestro.

Se dice que dos cantidades son directamente proporcionales cuando las dos aumentan o disminuyen en la misma proporción. Por ejemplo, si la cantidad de aros aumenta de 10 a 20, el precio aumentará de $16.00 a $32.00.

3. Piensa en otras cantidades de los ejemplos anteriores que varíen proporcionalmente y elabora algunas tablas.

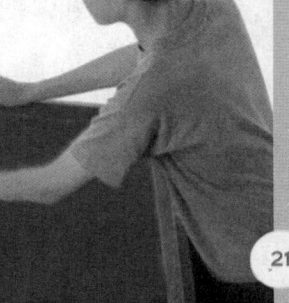

LECCIÓN

¿A dónde llega David?

7

1. Salgan al patio con su maestro y hagan lo que hace David para orientarse.

David sabe que si mira de frente hacia donde sale el Sol está mirando al oriente. Si extiende sus brazos, al lado derecho tiene el sur y al lado izquierdo el norte. Atrás de David está el poniente, por donde se mete el Sol.

2. David hace un plano para ubicar las casas de sus amigos y otros lugares de su colonia.

David siempre empieza a caminar a partir del kiosco, que se encuentra en el cruce de las calles principales, marcadas con azul y rojo. Las líneas de la cuadrícula son las calles por donde camina David.

Si David se mueve hacia la derecha de la hoja donde está el plano, ¿qué dirección lleva?, ¿oriente o poniente?

_____

Si David se mueve hacia abajo de la hoja donde está el plano, ¿qué dirección lleva?, ¿norte o sur?

_____

David quiere que le digas a dónde llega. Recuerda, su recorrido siempre lo empieza en el kiosco.

David dice que para llegar a la casa de Juan, tiene que caminar 3 cuadras hacia el oriente y después 5 cuadras hacia el norte. ¿Estás de acuerdo?_____
¿Por qué? _____

_____

David camina 3 cuadras hacia el poniente y después 2 hacia el norte. ¿A dónde llega?_____

3. ¿Quiénes viven a 2 cuadras hacia el norte de la calle azul?_____

• Pinta de verde esta calle.

4. ¿Qué hay a 5 cuadras hacia el poniente de la calle roja? _____

• Pinta de naranja esta calle.

22

5. David quiere que ahora le digas por dónde caminar:

Para llegar a la casa de Paco _____

_____

Para llegar a la lechería _____

_____

• Con un compañero juega a trazar los recorridos. Uno de ustedes escoge un lugar a donde va a ir David y el otro dice hacia dónde debe caminar David para llegar a ese lugar.

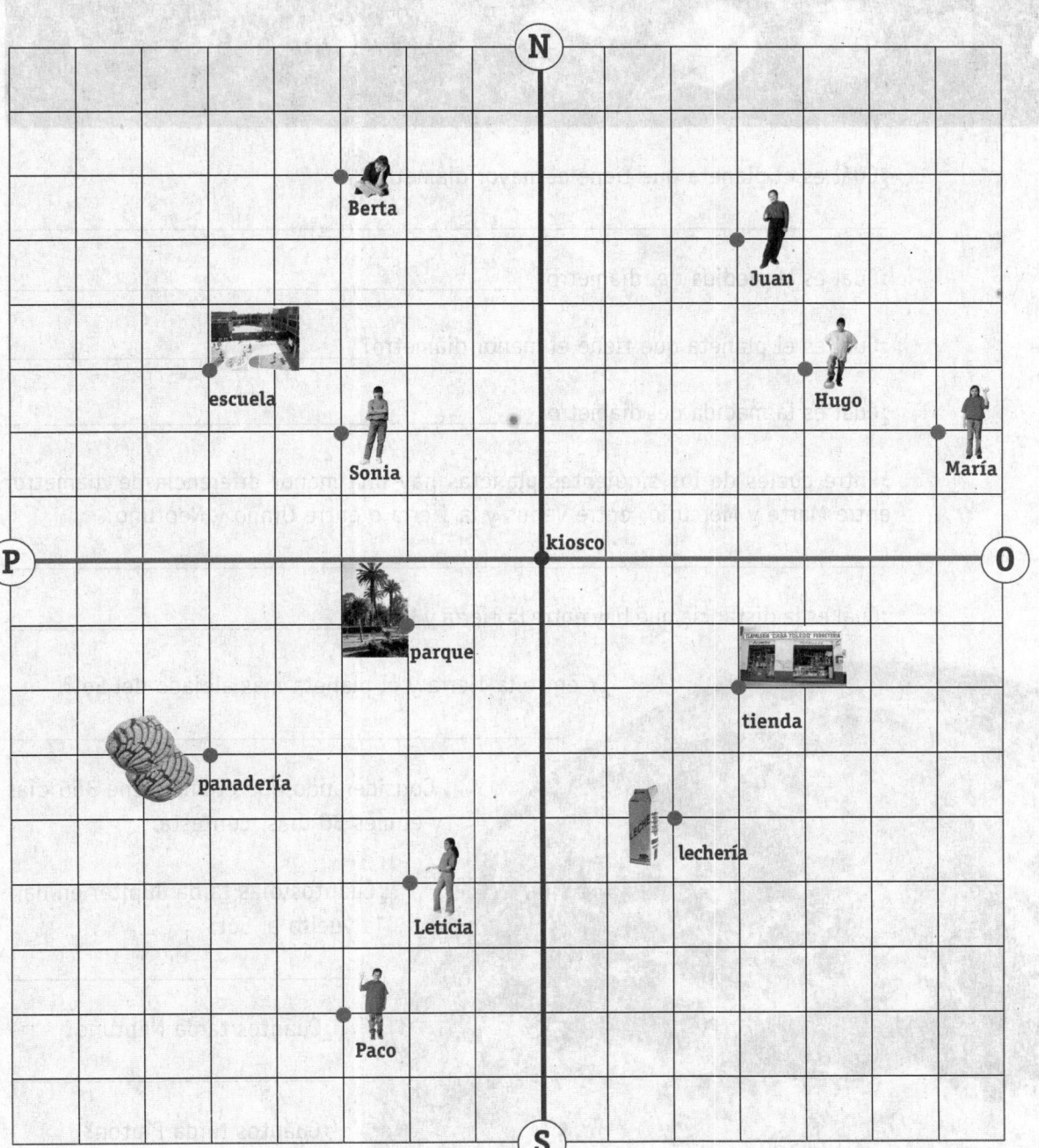

LECCIÓN 8 Grandes tamaños, grandes distancias

1. En tu libro de Geografía busca la tabla *Los planetas* que aparece en la lección "El sistema solar". Léela con atención y contesta lo siguiente. Puedes ayudarte con tu calculadora.

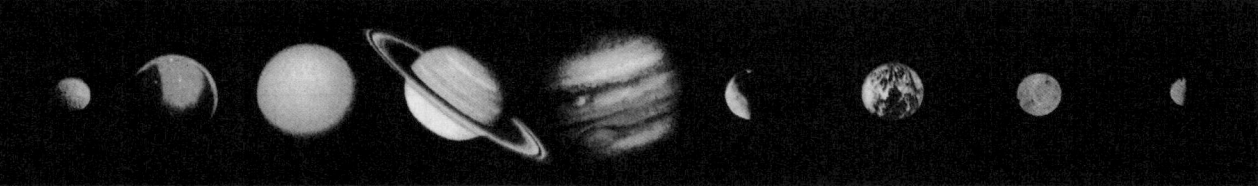

¿Cuál es el planeta que tiene el mayor diámetro?

_____

¿Cuál es la medida del diámetro? _____

¿Cuál es el planeta que tiene el menor diámetro? _____

¿Cuál es la medida del diámetro? _____

¿Entre cuáles de los siguientes planetas hay una menor diferencia de diámetro: entre Marte y Mercurio, entre Venus y la Tierra o entre Urano y Neptuno?

_____

¿Cuál es la distancia que hay entre la Tierra y Marte?_____

¿Y entre la Tierra y el planeta más alejado del Sol?

_____

2. Considerando que el año tiene 365 días y el mes 30 días, contesta:

¿Cuántos días tarda Júpiter en dar la vuelta al Sol?

_____

¿Cuántos tarda Neptuno?

_____

¿Cuántos tarda Plutón?

_____

3. En el siglo XIX, los veleros se utilizaron con frecuencia para transportar mercancías a través de los grandes ríos y el mar. Después aparecieron los barcos de vapor que, con el tiempo, llegaron a ser más rápidos.

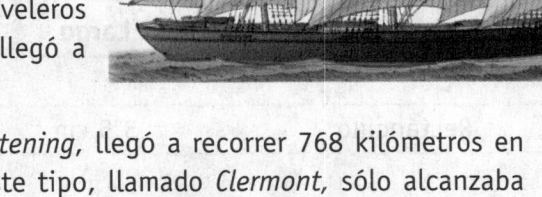

- Lee la siguiente información y luego responde las preguntas.

A mediados del siglo XIX, uno de los veleros más veloces, conocido como *Cliper*, llegó a recorrer 648 kilómetros en 24 horas.

El barco de vapor más veloz, el *Lightening*, llegó a recorrer 768 kilómetros en 24 horas. Pero el primer barco de este tipo, llamado *Clermont*, sólo alcanzaba 6 kilómetros por hora.

Actualmente, un transatlántico puede alcanzar una velocidad de hasta 70 kilómetros por hora.

¿Cuántos kilómetros recorría en una hora el *Cliper*? _____

¿Era más veloz el *Clermont* que el *Cliper*? _____ ¿Cómo lo sabes? _____

_____

¿Qué distancia podía recorrer el *Lightening* en una hora? _____

Si el río Mississippi, en Estados Unidos, tiene 5 970 kilómetros de longitud, ¿cuánto

tardaría el *Cliper* en recorrer una distancia semejante? _____ ¿Y el *Clermont*? _____

Y un transatlántico moderno, ¿cuánto tardaría en recorrer una distancia como esa?

_____

LECCIÓN

¿Cuántas veces cabe?

1. Para calcular el área de los polígonos que se piden en la siguiente tabla, mide con una regla los lados que necesites.

Polígono	Nombre del polígono	Largo	Ancho	Área
Azul				
Café	Rectángulo	3.5 cm	3 cm	10.5 cm²
Amarillo				
Morado				

En un cuadrado, ¿qué pasa con el largo y el ancho?

• Comprueba tus resultados contando cuántas veces cabe un cm² en cada polígono. Recuerda que la medida de los cuadritos de la cuadrícula es la cuarta parte de un centímetro cuadrado. Anota tus resultados en la tabla.

Polígono	Cantidad de cuadritos	Cantidad de cm²	Área
Azul			
Café	42	10 y $\frac{1}{2}$	10.5 cm²
Amarillo			
Morado			

• Explica por qué 10 y $\frac{1}{2}$ cm² se pueden escribir como 10.5 cm².

2. Calcula aproximadamente el área de las figuras que no son polígonos. Anota tus resultados en la tabla.

Figura	Cantidad de cuadritos	Cantidad de cm²	Área aproximada
Azul			
Verde			
Amarilla			
Morada			

• En papel translúcido, traza polígonos o figuras con lados curvos y calcula aproximadamente cuánto mide su área en cm². Usa la cuadrícula del material recortable número 1.

Comenta con tu maestro la siguiente información:

Una manera de calcular el área de una figura con lados curvos es contar cuántas veces cabe en ella la unidad de medida. Mientras que para calcular el área del rectángulo se puede, además, multiplicar el número de cuadritos que caben en el largo, por el número de cuadritos que caben en el ancho.

• ¿De qué otra forma podrías calcular el área de un cuadrado sin contar los cuadritos que caben en él? _____

LECCIÓN 10

Un juego con el diccionario

1. Paula y Santiago inventaron un juego con el diccionario. Paula escogió una página de la letra "P" y Santiago una página de la letra "S". El juego consiste en ver quién encuentra más palabras con un mayor número de letras. Para facilitar el conteo, cada uno hizo una tabla como las que siguen, y registraron con marcas las palabras encontradas.

Letra "P"	
Número de letras	Número de palabras
1	
2	/
3	/
4	////
5	////
6	///// ////
7	///// //
8	///// //
9	///// /
10	///
11	/
12	//
13	/

Letra "S"	
Número de letras	Número de palabras
1	
2	
3	
4	/
5	///// /
6	///// /
7	///// ///
8	///// ///// ///
9	///// //
10	///
11	///
12	//
13	

¿Cuántas palabras en total encontró Paula? _____

¿Cuántas palabras en total encontró Santiago? _____

¿Cuántas letras tienen las palabras más largas que empiezan con "P"?

_____

¿Y las palabras más largas que empiezan con "S"? _____

¿Con qué número de letras encontró Paula más palabras? _____

¿Con qué número de letras encontró Santiago más palabras? ___

2. Para facilitar las comparaciones, Paula y Santiago decidieron representar sus resultados en gráficas de barras. Fíjate en la que aparece a continuación:

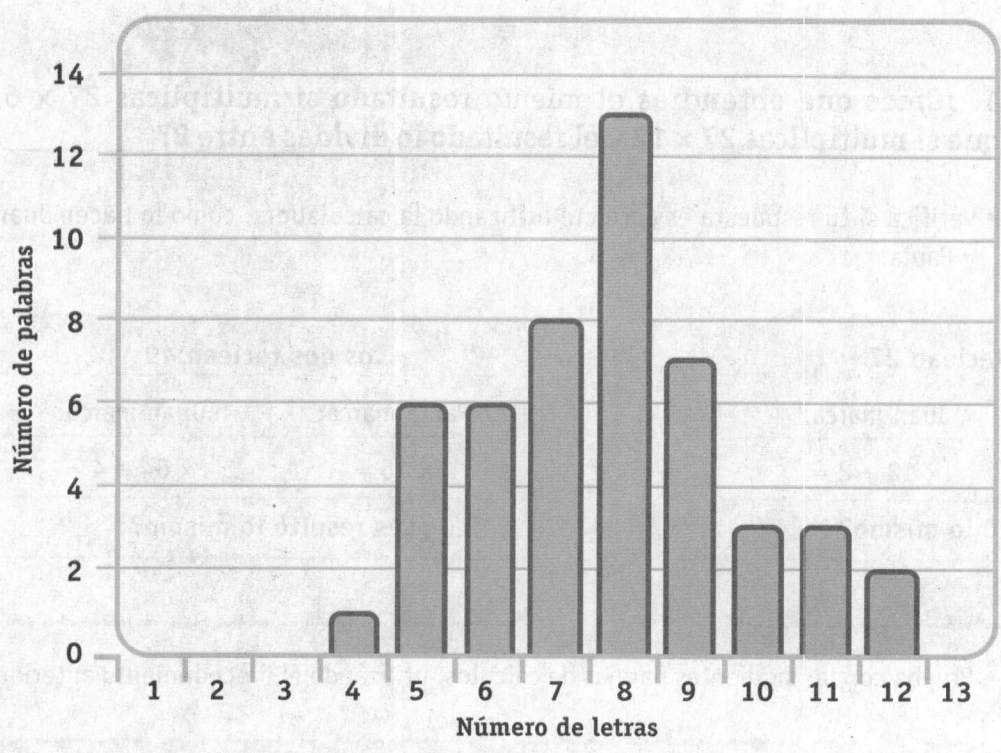

¿De quién es la gráfica que aparece arriba?_____

• Reprodúcela en tu cuaderno y traza a un lado la gráfica que no está hecha, usando colores distintos y los mismos ejes.

• Responde las preguntas de la página anterior, usando los datos de las gráficas que hiciste en tu cuaderno.

3. Busca la primera página del diccionario que corresponde a la primera letra de tu nombre, cuenta cuántas palabras hay con un mayor número de letras y regístralas en una tabla como lo hicieron Paula y Santiago.

¿Encontraste palabras de más de 13 letras?_____

Las gráficas de barras se utilizan para representar información y facilitar su análisis. Es una manera de presentar los datos que están en las tablas. Las rectas horizontal y vertical, en donde se ponen los datos de la tabla, se llaman ejes de la gráfica. En este caso, el eje vertical representa el número de palabras encontradas y el eje horizontal el número de letras que tienen las palabras.

LECCIÓN

Con la calculadora

1. ¿Crees que obtendrás el mismo resultado si multiplicas 27 x 6, que si multiplicas 27 x 12 y el resultado lo divides entre 2?_____ .

• Verifica si tu respuesta es correcta utilizando la calculadora, como lo hacen Juan y Paula.

Los dos teclean 27	
Paula marca:	Juan marca:
x 6 =	x 12 ÷ 2 =
¿Les resultó lo mismo?	

Los dos teclean 49	
Paula marca:	Juan marca:
x 16 =	x 64 ÷ 4 =
¿Les resultó lo mismo?	

• Prueba con las siguientes parejas de cálculos, utilizando el procedimiento anterior:

Primero teclea:	Luego teclea:
4 x 120 =	4 x 480 ÷ 4 =
8 x 740 =	4 x 740 x 2 =

Primero teclea:	Luego teclea:
20 x 70 =	60 x 70 ÷ 3 =
30 x 160 =	6 x 6 x 160 =

¿En cuál caso no obtuviste un resultado igual en los dos cálculos? _____

Discute lo siguiente con tu maestro y tus compañeros:

En los casos en que los resultados de los cálculos fueron iguales, ¿a qué crees que se debió dicho resultado? En el caso en que los resultados no fueron iguales, ¿a qué crees que se debió esto?

2. Inventa y anota pares de cálculos que creas que tendrán el mismo resultado:

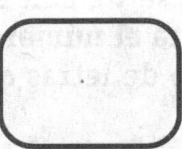

• Pide a un compañero que los resuelva con la calculadora. Tú resuelve los que él invente. ¿Los dos inventaron cálculos correctos?

3. Resuelve las siguientes multiplicaciones con ayuda de tu calculadora. **Hazlo sin oprimir la tecla X.** Después anota los cálculos que hayas realizado.

12 x 40 = _____

15 x 12 = _____

24 x 11 = _____

37 x 110 = _____

• **Utiliza la tecla X** para averiguar si tus cálculos fueron correctos.

• Reúnete con un compañero y entre ambos prueben con otras multiplicaciones que inventen. Deben anotar en su cuaderno los cálculos que hagan con la calculadora.

Comenta con otros compañeros la forma en que resolvieron las operaciones.

4. Utiliza la calculadora para completar las multiplicaciones. Todas deben tener el resultado que se indica. Luego contesta las preguntas.

Todas las multiplicaciones deben resultar 600.

4 x 15 x 10	_____ x _____	_____ x _____ x _____
____ x ____ x ____ x ____	2 x 3 x 10 x 10	1 x 600

¿Crees que el 7 serviría para completar las multiplicaciones que hay en la tabla? _____ ¿ Y el 9? _____

• Anota tres números que sirvan para completar la tabla_____

Todas las multiplicaciones deben resultar 96.

96 x 1	_____ x _____ x _____	2 x 48
3 x _____ x _____	12 x 2 x 4	_____ x _____

¿Crees que el 5 serviría para completar las multiplicaciones de esta tabla?_____
¿Y el 8?_____

Comenta con tu maestro y tus compañeros las respuestas al ejercicio 4.

5. Anota en tu cuaderno varias multiplicaciones que den por resultado 150 y 200.

LECCIÓN

El forro de las cajas

12

1. Consigue cajas de diferentes formas; por ejemplo, dos de chocolate y una de espagueti.

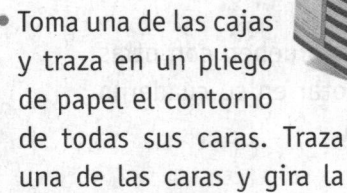
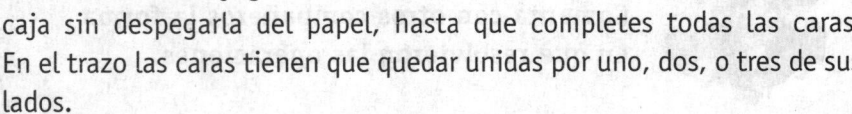

• Toma una de las cajas y traza en un pliego de papel el contorno de todas sus caras. Traza una de las caras y gira la caja sin despegarla del papel, hasta que completes todas las caras. En el trazo las caras tienen que quedar unidas por uno, dos, o tres de sus lados.

• Verifica que el forro que hiciste cubre una sola vez todas las caras de la caja.

• En los diferentes forros de la caja que están dibujados a continuación, algunos están mal hechos y otros están incompletos. Encuéntralos.

Prisma hexagonal

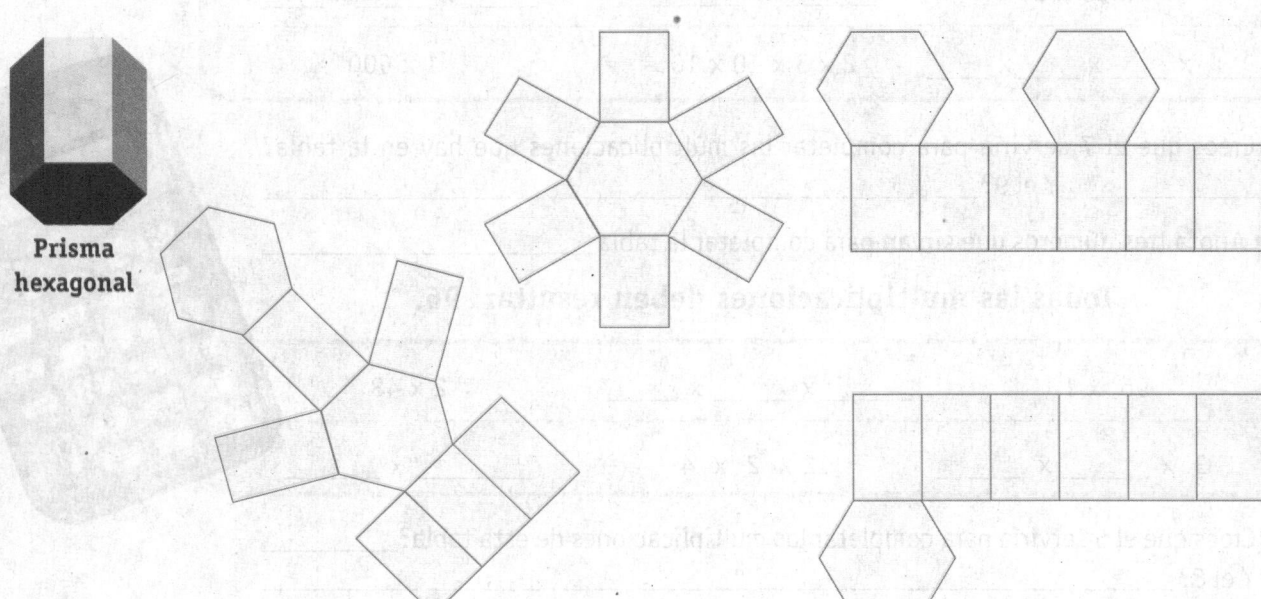

• Pinta de azul el forro que cubre toda la caja.

• Tacha el que no sirve, ya que con él dos partes del forro quedan sobre las mismas caras de la caja.

• Completa los otros dos forros.

**Compara tus soluciones con las de un compañero.
¿Los dos hicieron lo mismo?**

2. Observa la forma de las caras de las cajas y ve cómo se relacionan éstas con el nombre del prisma.

Cubo

**Prisma
triangular**

**Prisma
pentagonal**

**Prisma
cuadrangular**

**Prisma
rectangular**

• Contesta las siguientes preguntas.

Tiene dos cuadrados grandes iguales y cuatro rectángulos chicos, también iguales. ¿Cómo se llama? _____

Tiene tres pares de rectángulos iguales. ¿Cómo se llama?_____
_____

Tiene dos triángulos iguales y tres rectángulos iguales. ¿Cómo se llama?
_____

Tiene dos pentágonos iguales y cinco rectángulos iguales. ¿Cómo se llama?
_____

Si el forro que hizo Éric tiene seis rectángulos iguales, ¿le sirve para forrar un prisma rectangular? _____ ¿Por qué ?_____

Si el forro que hizo Eugenia tiene cuatro rectángulos iguales y dos pentágonos iguales, ¿le sirve para forrar un prisma pentagonal? _____ ¿Por qué?
_____

Mariana hizo un forro bien hecho para un prisma cuadrangular. Si los rectángulos miden 5 cm de ancho y 8 cm de largo, ¿cuánto pueden medir los lados de los cuadrados? _____

LECCIÓN 13
Triángulos y rectángulos

1. Comenta con tu maestro lo que Edith y Samuel aprendieron sobre los triángulos cuando estaban en cuarto grado.

Para calcular el área de un triángulo se puede multiplicar la medida de la base por la medida de la altura y dividir el resultado entre dos.
Cualquier lado de un triángulo puede usarse como base.
Para cada base que se escoge en un triángulo hay una altura.
La altura es la medida de la línea perpendicular que une un vértice con el lado opuesto.

- Usa tu regla para medir la base y la altura de los triángulos de la siguiente página.
¿De qué color son los triángulos que tienen de base 4 cm y de altura 2 cm?
_____ ¿Cuál es su área? _____

¿Cuál es el otro triángulo que también mide 4 cm² de área? _____

¿De qué color son los triángulos que tienen de base 2 cm y de altura 3 cm?
_____ ¿Cuál es su área? _____

¿Cuál es el otro triángulo que también mide 3 cm² de área? _____

2. Calcula el área de los cuadrados, rectángulos y triángulos que se señalan en la tabla. Usa como unidad de medida el centímetro cuadrado.

	Cantidad de cuadritos	Cantidad en cm²	Área
Cuadrado amarillo			
Triángulo amarillo		$4\frac{1}{2}$	

	Cantidad de cuadritos	Cantidad en cm²	Área
Rectángulo café			
Triángulo café			

- ¿Qué hiciste para saber cuántos cuadritos caben en el triángulo café?

_____

Edith y Samuel dicen que al triángulo verde bandera le caben 48 cuadritos, o sea 12 cm². Se fijaron que el triángulo verde bandera está dibujado sobre un cuadrado de 6 cuadritos x 6 cuadritos y un rectángulo de 10 cuadritos x 6 cuadritos.

Con tu maestro y tus compañeros averigua por qué a Edith y a Samuel les sirvió esto para calcular el área del triángulo verde bandera.

• Con el procedimiento que siguieron Edith y Samuel, calcula el área del triángulo rosa y del triángulo gris.

1 cm²

LECCIÓN
14
Adornos con listones

1. Luisa tiene que hacer varios adornos con tiras de listón y esferas. Las esferas tienen que estar colocadas a igual distancia una de otra, sin colocar ninguna en los extremos, como se muestra en el dibujo.

La esfera verde del siguiente dibujo debe ser la tercera de izquierda a derecha.

• Marca los lugares donde se colocarán las demás esferas.

¿En cuántas partes iguales quedó dividido el listón?_____

Suponiendo que el listón completo es la unidad, ¿qué fracción es cada parte?

_____

¿Qué fracción le corresponde a la esfera verde?_____

Rosa dice que a la esfera verde le corresponde el 3, Susana dice que le corresponde $\frac{3}{7}$ y Beto dice que le corresponde $\frac{3}{8}$. ¿Quién tiene razón?_____
¿Por qué?_____

• Dibuja en cada listón lo que se indica.

(Cinco esferas)

(Ocho partes iguales)

(10 partes iguales)

2. Comenta con tu equipo ¿de qué manera piensan que se puede usar una hoja rayada para dividir en cuatro partes iguales el listón dibujado? Marca los puntos donde deben ir las esferas y dibújalas. En el material recortable número 2 encontrarás una hoja rayada. Si lo necesitas, puedes copiar la longitud del listón en el borde de una hoja para superponerla en la hoja rayada.

• Analiza el dibujo que completaste.
  ¿En cuántas partes iguales quedó·dividido el listón? _____
  ¿Qué fracción es cada parte? _____
  Pinta con color rojo la esfera que está a $\frac{3}{4}$ del extremo izquierdo.

3. En el listón de abajo dibuja cuatro esferas. Antes de dibujarlas contesta las siguientes preguntas.
  ¿En cuántas partes iguales tienes que dividir el listón? _____
  ¿Qué fracción es cada parte? _____

• Pinta con color azul la esfera que esté a $\frac{3}{5}$ del extremo izquierdo.

4. El trabajo que has hecho con los listones es similar al que se puede hacer en una recta. Ubica en la siguiente recta la fracción $\frac{5}{7}$. Considera que los extremos son el cero y el 1.

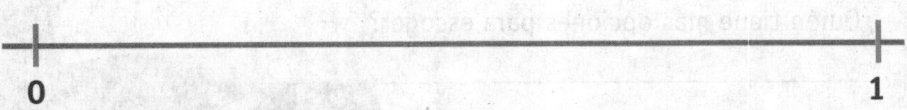

0   **1**

¿En cuántas partes iguales quedó dividido el segmento 0,1? _____

• Dibuja en una hoja blanca varias rectas y trata de representar en ellas diferentes fracciones. Te puedes auxiliar con una hoja rayada.

LECCIÓN

Los programas de televisión

15

1. Martín puede ver la televisión una hora al día, de 6 a 7 o de 7 a 8, y puede elegir entre el canal 11, el 22 o el 40. Si un programa de televisión dura una hora, ¿entre cuántos programas puede elegir Martín diariamente? _____

Para contestar a esta pregunta, Martín organizó la información en un diagrama como el siguiente. Complétalo:

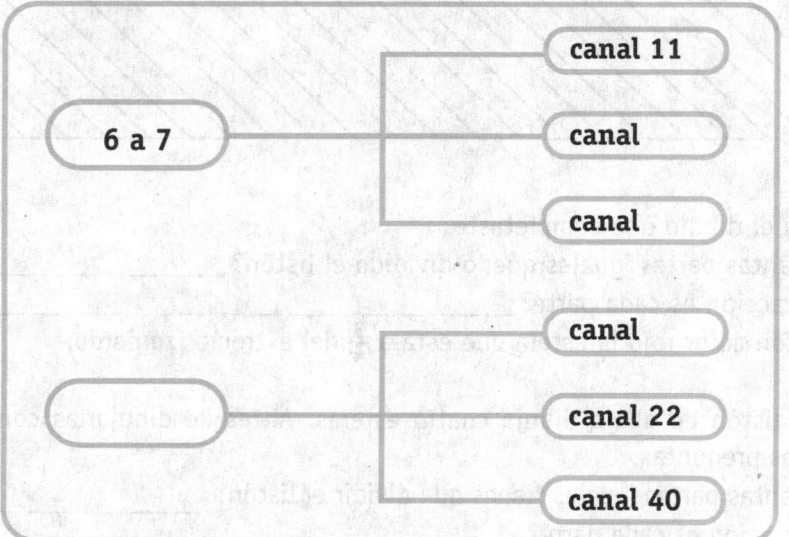

	canal 11
6 a 7	canal
	canal

	canal
	canal 22
	canal 40

¿Cuántas opciones diferentes tiene Martín?

_____

• Compara tu respuesta con la de la pregunta 1.

Laura puede ver la televisión también una hora al día y ella puede elegir entre tres horarios diferentes: de 5 a 6, de 6 a 7 y de 7 a 8, pero sólo puede escoger entre los canales 11 y 22. ¿Quién tiene más opciones para escoger?

_____

• Traza en tu cuaderno un diagrama como el de Martín y comprueba tu respuesta.

Si los programas de televisión duraran media hora cada uno, ¿entre cuántos programas pueden elegir Martín y Laura diariamente? _____

• Traza en tu cuaderno los diagramas correspondientes y comprueba tus respuestas.

2. Marco y Adriana pueden ver la televisión una hora diaria, en el horario que más les guste: de 5 a 6, de 6 a 7 o de 7 a 8, y pueden elegir entre los canales 11, 22 y 40. ¿Entre cuántos programas de una hora pueden escoger? _____

• Haz un diagrama para comprobar tu respuesta.

 **Comenta con tus compañeros y compañeras cuántas horas les permiten ver la televisión a cada uno y qué canales pueden ver. Hagan diagramas para ver entre cuántos programas de una hora pueden elegir.**

3. En la fonda de doña Manuela se puede elegir entre pollo o pescado y, para acompañar, se puede escoger entre papas, arroz o ensalada de lechuga.

¿Cuántos platillos distintos puede servir doña Manuela?
_____

• Haz un diagrama como los anteriores y comprueba tu respuesta. Si cada platillo se puede completar con gelatina o con plátanos con crema de postre, ¿cuántas combinaciones diferentes ofrece doña Manuela? _____

• Comprueba tu respuesta con un diagrama.

Para contar ordenadamente las posibilidades o las opciones que se tienen para elegir, utilizamos los diagramas de árbol. Un diagrama de árbol puede tener muchas ramificaciones, como en el caso de las opciones existentes en la fonda de doña Manuela.

Los diagramas de árbol tienen, en general, una forma como la siguiente.

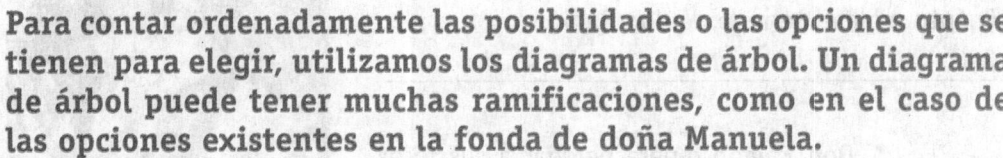

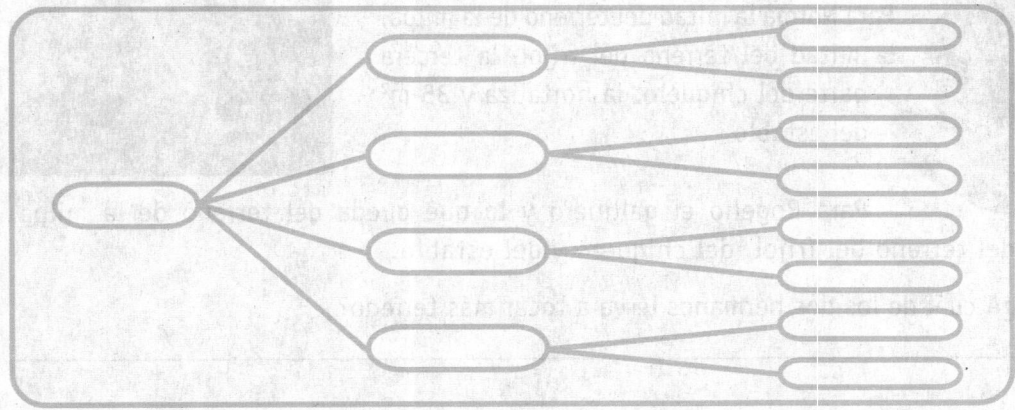

Don Ramón y su terreno

16

1. **Don Ramón tiene un terreno que dividió en 8 partes para poder usarlas de diferente manera.**

En la siguiente página está el dibujo del terreno y cómo lo dividió don Ramón.

- Encuentra el gallinero, el chiquero, la milpa y la hortaliza.

- Usa las medidas que están señaladas en el dibujo y contesta las siguientes preguntas.

¿Cuánto mide la superficie del chiquero?

_____

El terreno donde está el establo tiene una forma muy rara. Si te fijas, verás que está formado por un rectángulo y un triángulo, ¿cuánto mide la superficie del establo? _____

- La superficie donde se siembra el frijol mide 52 m². Explica por qué este resultado es correcto. _____

¿Cuántos metros cuadrados es más grande el terreno del frijol que el terreno de la milpa? _____ ¿Cuántos metros es más chico el terreno de la hortaliza que el terreno del gallinero? _____

El terreno de la casa de don Ramón, ¿es mayor o menor que 42 m²?
_____

¿Cuánto mide el terreno de don Ramón?

_____

2. Don Ramón quiere heredar a sus hijos de la siguiente manera:

Para Norma la mitad del terreno de la milpa, la mitad del terreno del frijol, la tercera parte del chiquero, la hortaliza y 35 m² del establo.

Para Rogelio el gallinero y lo que queda del terreno de la milpa, del terreno del frijol, del chiquero y del establo.

¿A cuál de los dos hermanos le va a tocar más terreno?

_____

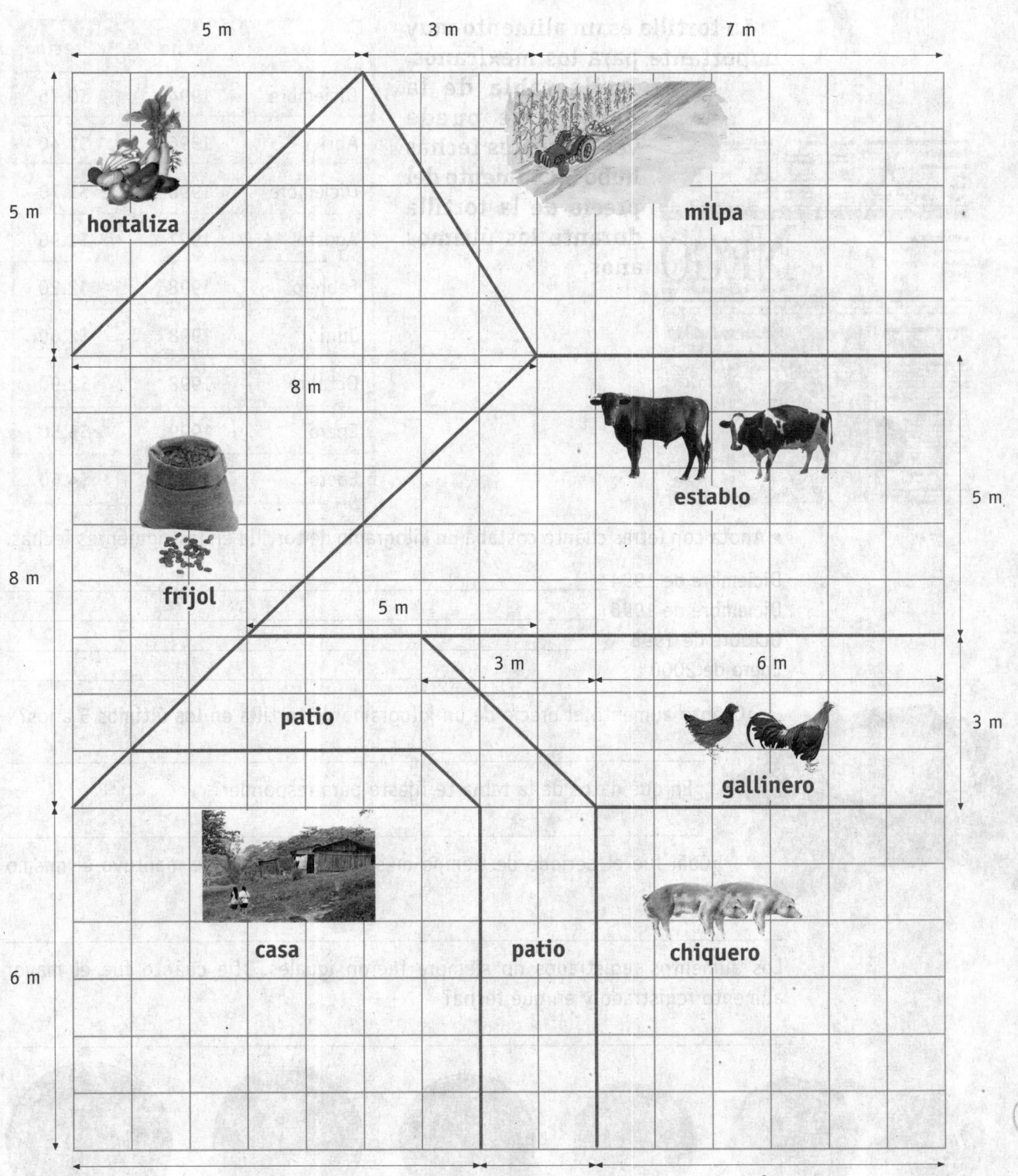

hortaliza

milpa

frijol

establo

patio

gallinero

casa

patio

chiquero

5 m   3 m   7 m

5 m

5 m

8 m

3 m

8 m

5 m

3 m

6 m

6 m

7 m   2 m   6 m

LECCIÓN

17 El precio de las tortillas

1. **La tortilla es un alimento muy importante para los mexicanos. En la tabla de la derecha se puede ver en cuáles fechas hubo un aumento del precio de la tortilla durante los últimos años.**

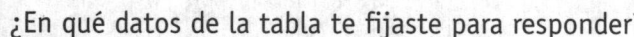

Mes	Año	Precio
Diciembre	1994	$0.75
Abril	1996	$1.40
Diciembre	1996	$1.70
Agosto	1997	$1.90
Febrero	1998	$2.20
Junio	1998	$2.60
Octubre	1998	$2.90
Enero	1999	$3.50
Enero	2000	$4.50

• Anota con letras cuánto costaba un kilogramo de tortilla en las siguientes fechas.

Diciembre de 1994 _____

Diciembre de 1996 _____

Octubre de 1998 _____

Enero de 2000 _____

¿Cuánto aumentó el precio de un kilogramo de tortilla en los últimos 5 años?

_____

¿En qué datos de la tabla te fijaste para responder?

_____

¿Cuál fue el periodo de tiempo más largo en el que se mantuvo el mismo precio?

_____

Los aumentos registrados no siempre fueron iguales. ¿De cuánto fue el mayor aumento registrado y en qué fecha?

_____

2. Representa las fechas de la tabla en esta recta. Además comprueba si tus respuestas de la página anterior son correctas.

¿En cuántas partes iguales se dividió cada año? _____

¿Cuánto tiempo representa cada parte? _____

• Representa en esta recta los precios de la tortilla y comprueba si tus respuestas de la página anterior son correctas.

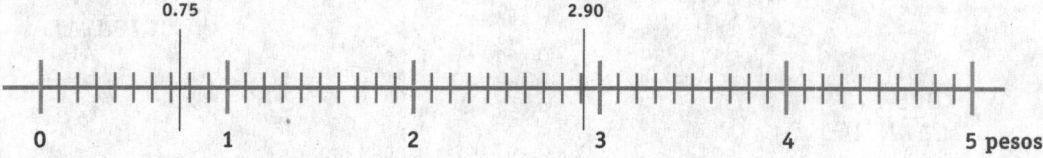

¿En cuántas partes iguales quedó dividido cada peso? _____

¿Cuánto dinero representa cada parte? _____

 **Comenta con tus compañeros y tu maestro por qué 75 centavos está a la mitad entre 0.70 y 0.80**

3. Con tu calculadora encuentra dos números que sumen 5.40

• Encuentra dos números cuya diferencia sea 1.30

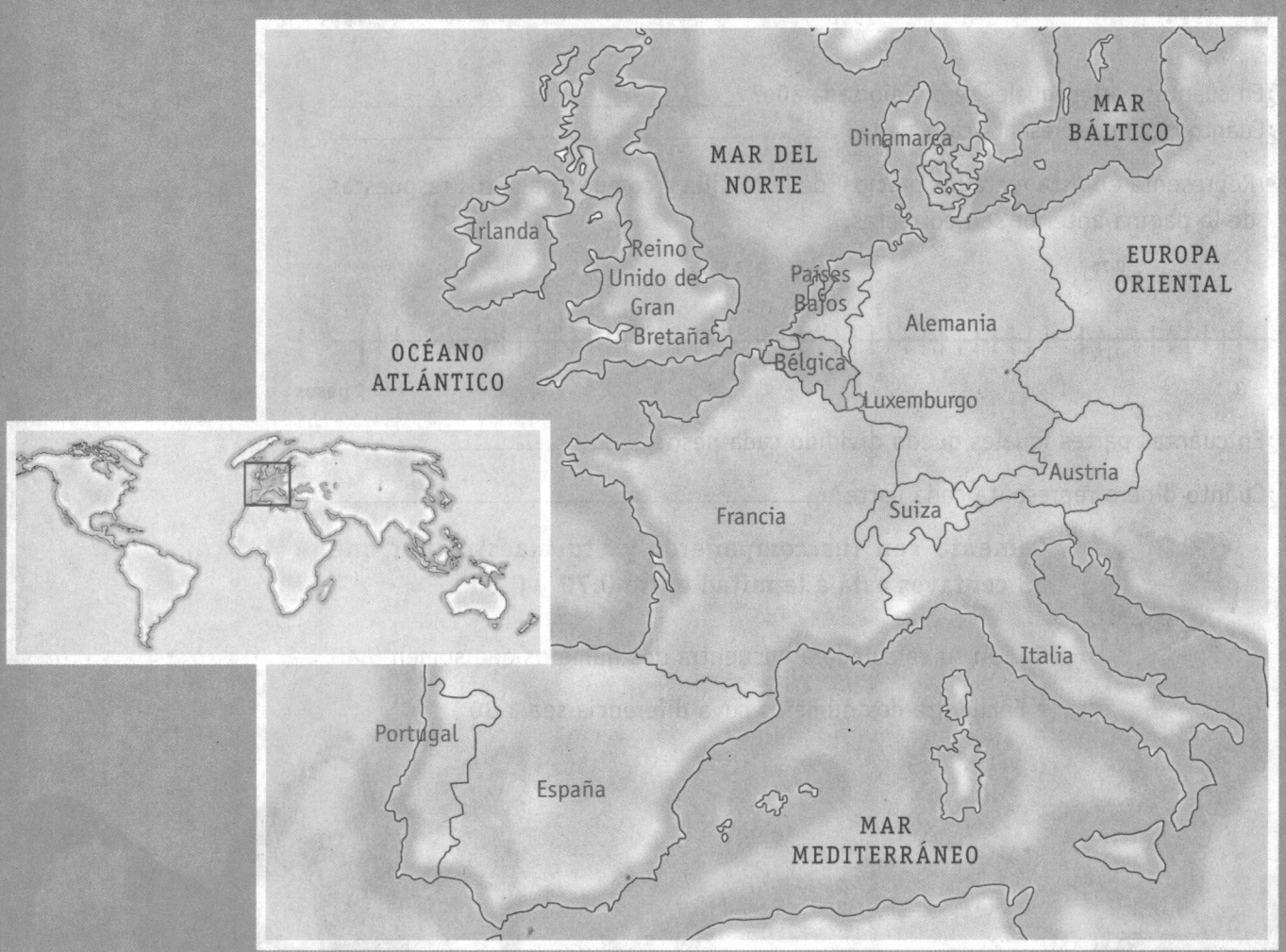

L os números más utilizados en la vida diaria para resolver problemas son los números naturales, 1, 2, 3..., y los números decimales, tales como 2.5, 1.75, 0.23; sin embargo, históricamente, los números decimales se conocieron muchos siglos después que los naturales.

Simon Stevin fue un matemático que nació en la ciudad de Brujas (Bélgica) en el siglo XVI. En 1585 publicó un pequeño libro llamado *La Disme* en el que daba a conocer a los países europeos las fracciones decimales como $\frac{1}{10}$, $\frac{7}{10}$, $\frac{24}{100}$, utilizadas en la aritmética de la India y de Arabia. La idea de Stevin era extender el principio posicional de base 10, que se usaba con los números naturales, a la escritura de los números fraccionarios, para no tener que usar quebrados. En la notación que propuso Stevin se utilizaban números circulados, de la siguiente manera:

237 ⓪ 5 ① 7 ② 8 ③

Vistas de la ciudad de
Brujas en la actualidad

Simon Stevin
(1548-1620)

Las cifras a la izquierda del cero circulado eran la parte entera del número; a la derecha del cero estaban las cifras que representaban la parte fraccionaria. Cada cifra era seguida de un número circulado que indicaba la fracción decimal: uno para los décimos, dos para los centésimos, tres para los milésimos y así sucesivamente.

Con el tiempo, los números circulados fueron desapareciendo y el cero circulado se convirtió en el punto decimal. Conforme a esta simplificación, el número representado en la página anterior se escribiría **237.578**, que es la escritura que utilizamos actualmente.

Simon Stevin no inventó las fracciones decimales; sin embargo, su uso se popularizó a partir de la escritura que propuso este ingeniero y matemático belga.

LECCIÓN
Las canicas de la feria

18

1. En el juego de las canicas se trata de meterlas en los hoyos y acumular el mayor número de puntos. Después de tirar cinco canicas, se suman los puntos y se obtiene un premio. Por ejemplo, para ganar el carrito hay que acumular 29 puntos.

28   16   12   29   21

¿Cuál es el mayor número de puntos que se puede obtener al tirar 5 canicas?

_____

Karina tiró 5 canicas y obtuvo 17 puntos.
¿En cuáles hoyos pudieron haber caído? _____

Karina lleva 15 puntos y le falta tirar dos canicas. ¿Crees que pueda ganar una guitarra? _____

¿Por qué? _____
_____

2. En la siguiente tabla aparecen las canicas lanzadas por Karina y los puntos que logró acumular.

Canicas lanzadas	Puntos acumulados
1	2
2	5
3	7
4	13
5	14

¿En qué número cayó la primera canica? _____
¿Y la segunda? _____
¡Cuidado! No es cierto que haya caído en el 5.

Las cantidades anotadas en la tabla anterior no son proporcionales.
- Explica por qué _____
_____
_____

- Si no recuerdas en qué casos las cantidades son proporcionales, revisa nuevamente la lección 6 de este libro.

¿Qué tendría que suceder en el juego de las canicas para que las cantidades fueran proporcionales?

Canicas lanzadas	Puntos acumulados

_____
_____
_____
_____

- Completa la tabla de la derecha para ejemplificar tu respuesta.

3. Anota los datos que hacen falta en las siguientes tablas.

Tabla A		Tabla B	
Dardos lanzados	Globos rotos acumulados	Veces que jugué lotería	Costo
3	2	1	3 pesos
6	3	2	
9			9 pesos
	7	4	
15			15 pesos

- Compara tus tablas con las de otros compañeros para que veas si todos anotaron lo mismo.

Karina dice que en la columna de globos rotos se pueden anotar resultados diferentes. Explica por qué _____
_____
_____

Las cantidades anotadas en la tabla B son proporcionales, en cambio las de la tabla A no son proporcionales.

LECCIÓN 19

¿Cuánto mide la República?

1. Para medir áreas de grandes superficies, como la de los estados de la República Mexicana, se usa como unidad de medida el kilómetro cuadrado, que se abrevia km².

¿Cuánto crees que mide el lado del cuadrado que tiene como superficie un km²?

_____

2. En la página siguiente están los datos del área de los estados de la República y la del Distrito Federal.

¿En cuál de ellos vives? _____

¿Cuánto mide su superficie? _____

¿En qué zona geográfica vives? _____

• En un mapa de la República Mexicana localiza tu zona geográfica.

• Fíjate en las otras entidades federativas que pertenecen a la misma zona que la tuya. Ordena las áreas, de la más grande a la más chica _____

_____

¿En qué lugar quedó la entidad en la que vives? _____

• Encuentra las dos entidades de la República entre las que está comprendida el área de la entidad donde vives _____

3. Usa tu calculadora y ordena en tu cuaderno las zonas, de la de menor superficie a la de mayor.

¿Cuál es la zona más grande? _____

¿En qué lugar quedó la zona a la que pertenece el lugar donde vives? _____

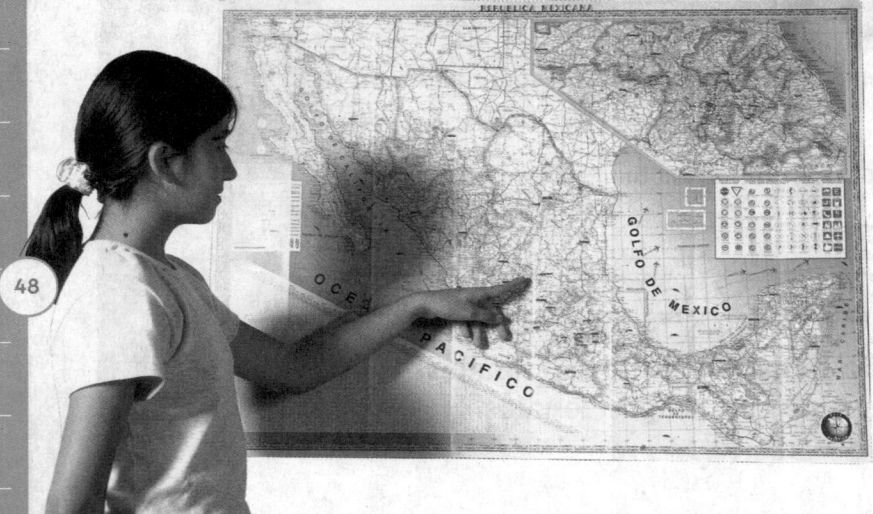

¿Cuál es la entidad federativa más grande de la República?

_____

¿Cuál es la entidad federativa más chica?

_____

- Escribe en la tabla los estados cuya superficie está en los rangos señalados.

Rango	Estados
De 1 000 km² a 40 000 km²	
De 40 000 km² a 80 000 km²	
De 80 000 km² a 120 000 km²	

¿Qué estados no quedaron registrados en la tabla? _____

Zona del Noroeste	
Baja California	70 113 km²
Baja California Sur	73 677 km²
Sonora	184 934 km²
Sinaloa	58 092 km²
Nayarit	27 621 km²

Zona del Norte	
Chihuahua	247 087 km²
Coahuila	151 571 km²
Durango	119 648 km²
Zacatecas	75 040 km²
San Luis Potosí	62 848 km²

Zona del Centro-Occidente	
Guanajuato	30 589 km²
Michoacán	59 864 km²
Jalisco	80 137 km²
Colima	5 455 km²
Aguascalientes	5 589 km²

Zona del Noreste	
Nuevo León	64 555 km²
Tamaulipas	79 829 km²

Zona del Golfo de México	
Veracruz	72 815 km²
Tabasco	24 661 km²

Zona del Centro-Sur	
Querétaro	11 769 km²
Hidalgo	20 987 km²
Estado de México	21 461 km²
Morelos	4 941 km²
Tlaxcala	3 914 km²
Distrito Federal	1 499 km²
Puebla	33 919 km²

Zona de la Península de Yucatán	
Yucatán	39 340 km²
Quintana Roo	50 350 km²
Campeche	51 833 km²

Zona del Pacífico Sur	
Guerrero	63 794 km²
Oaxaca	95 364 km²
Chiapas	73 887 km²

- Usa tu calculadora para saber cuánto mide la superficie del territorio mexicano _____

La población del mundo

20

1. **¿Cómo evolucionaron las poblaciones del mundo en las últimas décadas?** La siguiente tabla muestra cómo ha variado la población en las distintas regiones del mundo, durante la segunda mitad del siglo veinte. Las cifras están dadas en millones de habitantes.

Población del mundo en millones de habitantes							
Año	Estados Unidos y Canadá	América Latina	Europa	Asia	África	Oceanía	MUNDO
1950	166	164	392	1 560	219	13	2 514
1960	199	215	425	1 897	275	16	3 027
1970	226	283	460	2 335	354	19	3 677
1980	252	365	484	2 884	472	23	4 480
1990	276	442	501	3 428	625	26	5 298

Fuente: Organización de las Naciones Unidas (ONU)

• Rosa y Rodrigo hicieron la siguiente gráfica, utilizando algunos datos de la tabla de población.

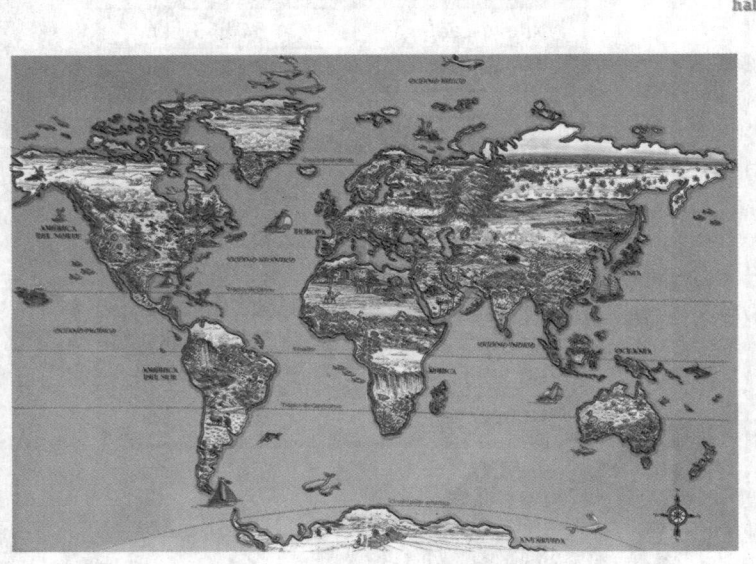

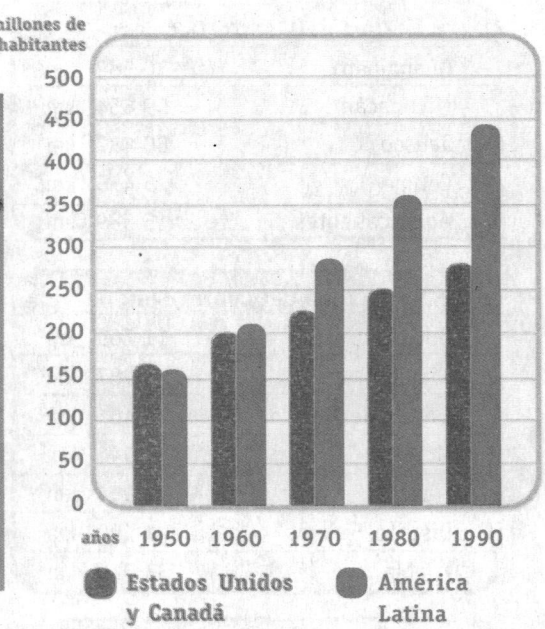

Al ver la gráfica, Rodrigo se dio cuenta de que en 1950 la población de Estados Unidos y Canadá era un poco mayor a la población de toda América Latina. Compara estas dos poblaciones en 1960, ¿cómo eran?, ¿qué pasó después? _____
_____

¿En cuál de las dos regiones que se muestran en la gráfica ha crecido más la población? _____

• En un mapa del continente americano localiza las dos regiones y compara sus superficies.

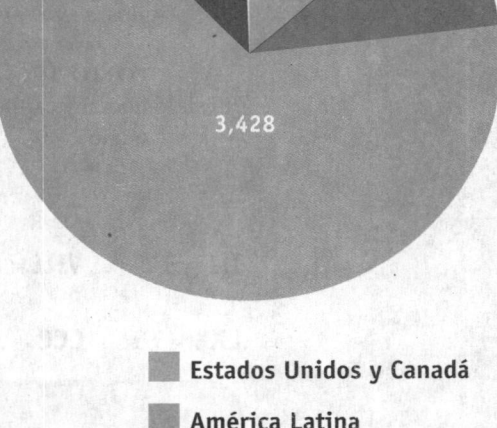

Comenta con tus compañeros las posibles causas de los distintos crecimientos de la población en estas dos regiones.

2. Haz unas gráficas, como la de Rosa y Rodrigo, para comparar las siguientes poblaciones y contesta las mismas preguntas del punto número uno, para cada gráfica.
- Estados Unidos y Canadá con Europa
- América Latina con Asia
- África con Oceanía

3. Con los datos de la tabla de población del mundo se construyó una gráfica circular. Analízala cuidadosamente.

¿Cuál era la región del mundo más poblada en 1990?

_____

¿Cuál era la menos poblada?

_____

• Considera las poblaciones de toda América y compáralas con la población de África. ¿Cuál es mayor?

_____

• En un mapamundi colorea las regiones con los mismos colores de la gráfica. ¿Qué región tiene mayor superficie?

_____

¿Qué población tiene esa región?

_____

Población del mundo en 1990 en millones de habitantes

26
276
442
501
625
3,428

■ Estados Unidos y Canadá
■ América Latina
■ Europa
■ Asia
■ África
■ Oceanía

51

LECCIÓN 21
Los números romanos

1. La ilustración de la izquierda es la página del índice de una enciclopedia.

• ¿De qué trata la enciclopedia? _____

_____

¿Qué tipo de números se utilizan para señalar los tomos? _____

¿De cuáles de esos números conoces su valor?

_____

¿Qué título le pondrías a la enciclopedia?

_____

Comenta tus respuestas con tus compañeros y tu maestro.

• En seguida aparecen algunos números romanos y su valor en numeración decimal. Anota en la tabla el valor que representa cada letra.

III = 3   **VIII** = 8   **XII** = 12   **VII** = 7   **XV** = 15   **LX** = 60

LXX = 70   **CCC** = 300   **DCC** = 700   **MD** = 1 500   **MM** = 2 000   **CC** = 200

I	V	X	L	C	D	M

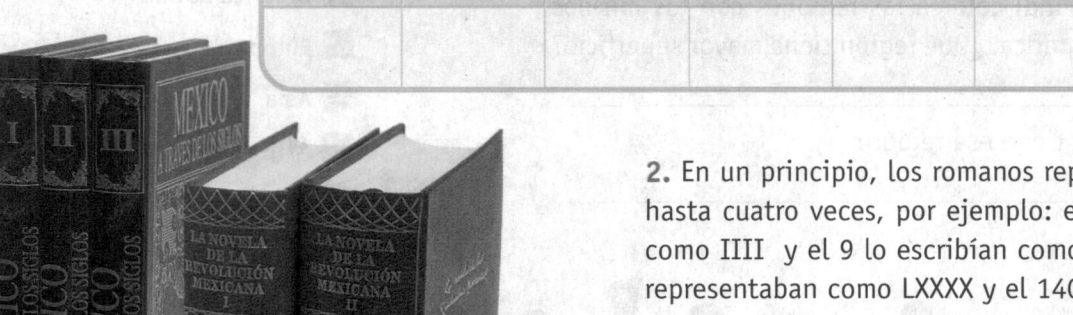

2. En un principio, los romanos repetían las letras hasta cuatro veces, por ejemplo: el 4 lo escribían como IIII y el 9 lo escribían como VIIII. El 90 lo representaban como LXXXX y el 140 como CXXXX.

Posteriormente, utilizaron otra forma de representar los números repitiendo sólo tres veces cada letra. Observa los siguientes números y trata de averiguar cuál es esa forma.

IV = 4	V = 5	VI = 6	IX = 9	X = 10
XI = 11	XL = 40	XC = 90	CD = 400	CM = 900

Seguramente te diste cuenta de que al representar los números, los romanos no sólo sumaban los valores de las letras, sino que en ocasiones también los restaban. ¿Cuáles eran las letras cuyo valor se restaba? _____

3. Escribe los siguientes números utilizando el sistema romano. Cuando sea necesario, utiliza el principio que permite restar el valor que representan las letras.

19		39		49		89		99	
14		24		34		44		64	
18		28		58		78		98	

• Anota el valor de los siguientes números.

DV		DIX		DX	
DXV		DXX		DXLIX	

• Utiliza el signo > o <, según convenga.

M _____ DCCCLVII   DCCCIX _____ DCCCVIII   CLXI _____ CLXIX

• Observa el índice general de la enciclopedia que aparece en la página anterior.
   ¿Qué tomo abarca el periodo más largo de la historia? _____
   ¿Qué tomo abarca el periodo más corto? _____

• En tu cuaderno escribe, utilizando el sistema romano, las series siguientes.

   Del **633** al **650**   Del **788** al **800**   Del **989** al **1 002**

4. Anota tres diferencias que encuentres entre el sistema de numeración romano y el sistema decimal de numeración.

_____
_____
_____
_____
_____

XC
IV
MM
III
XL
CXV
XVIII
XIV
MCM
VI
LXXI
CV
XVII
MCXVI

LECCIÓN

Puntos y figuras

22

1. David localiza puntos en el plano de la página siguiente y dice que el punto rojo está en (12 oriente, 10 norte), que el punto verde está en (12 poniente, 14 sur) y el punto morado está en (4 poniente, 15 norte).

¿Estás de acuerdo con lo que dice David? _____

David se equivocó en la localización de un punto, ¿cuál es? _____

• Escribe la localización correcta de ese punto _____

2. David trazó una figura en su plano. Para encontrar el dibujo de David sigue las instrucciones.

• Localiza en el plano los puntos que están en la tabla. No te olvides de poner la letra que le corresponde a cada punto.

• Escribe en las tablas la ubicación de los puntos que faltan.

Punto	Ubicación
A	(7 oriente, 11 norte)
B	(0, 7 norte)
C	
D	(6 poniente, 4 norte)
E	(13 poniente, 0)
F	

Punto	Ubicación
G	
H	(0, 7 sur)
I	(7 oriente, 11 sur)
J	
K	
L	

• Une con líneas los puntos del A al L siguiendo el orden alfabético. Para cerrar la figura une el punto L con el A.
  ¿Qué figura te salió? _____

3. ¿Cuántos ejes de simetría tiene la figura? _____

Los puntos A y C son simétricos respecto a la línea roja, que es uno de los ejes de simetría de la figura.
¿Cuánto mide la distancia desde el punto A a ese eje de simetría?

_____

¿Cuánto mide la distancia del punto C al mismo eje?

_____

• Verifica que para cualquier par de puntos simétricos respecto a un eje de simetría, su distancia al eje sea la misma.

4. Colorea la figura y calcula su superficie en cm^2.

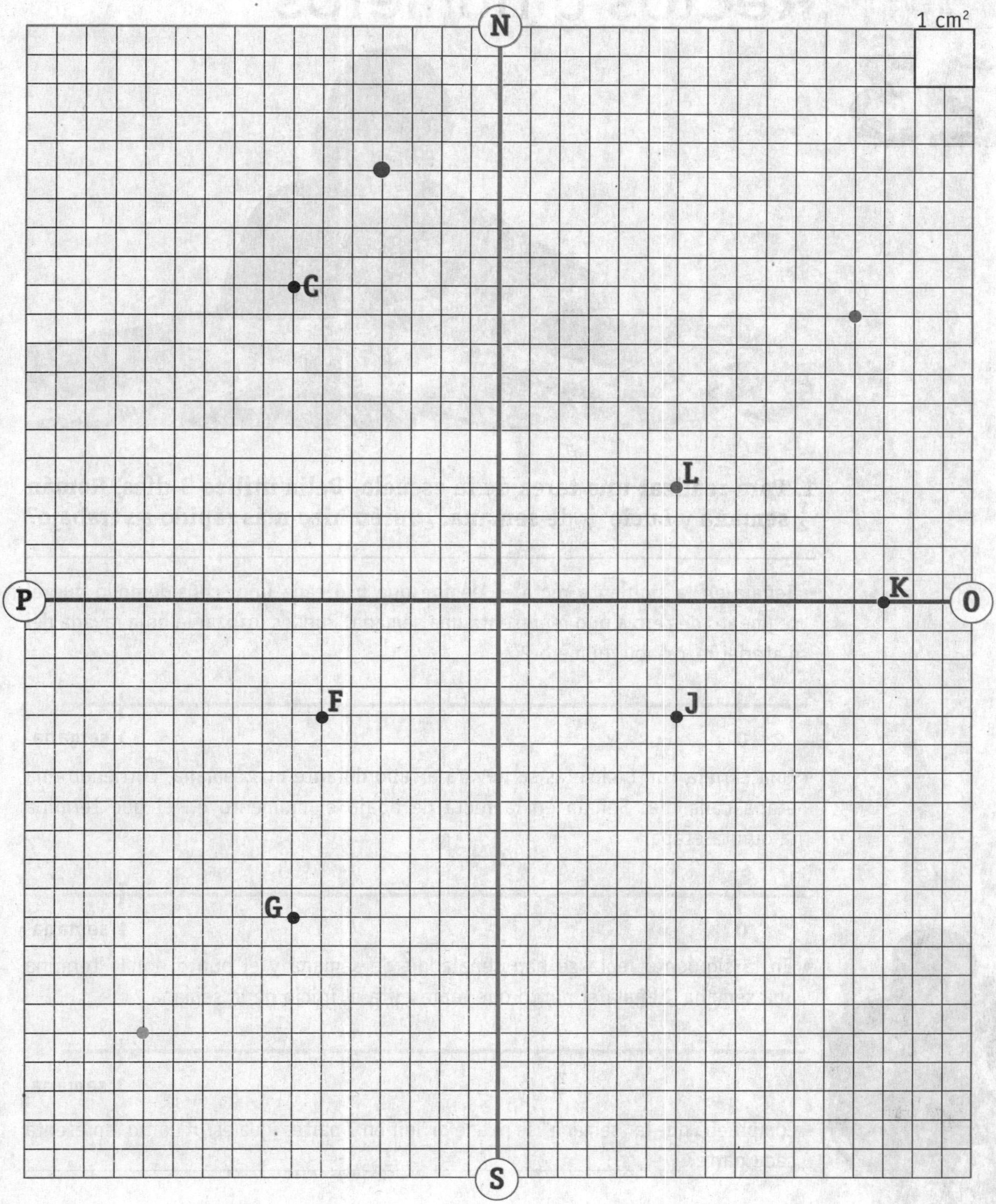

Comenta con tu maestro y tus compañeros qué procedimiento seguiste para calcular el área de la figura.

LECCIÓN **23**

Rectas y números

1. Para realizar una tarea de la escuela, Delia utilizó 3 días, Román $\frac{1}{2}$ semana y Lucio $\frac{4}{7}$ de semana. ¿Quién hizo más rápido su trabajo?

• Señala en la siguiente recta el tiempo que usó cada uno, considerando que el segmento de cero a uno representa una semana. Puedes utilizar la hoja rayada del material recortable número 2.

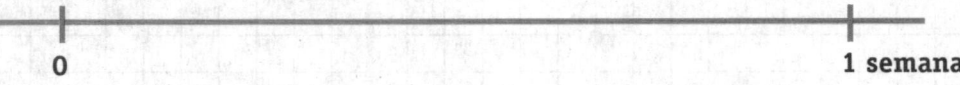

0   1 semana

• Una carrera con bicicletas se llevará a cabo durante una semana, corriendo una etapa cada día. Señala en la recta de abajo el momento en el que termina la quinta etapa.

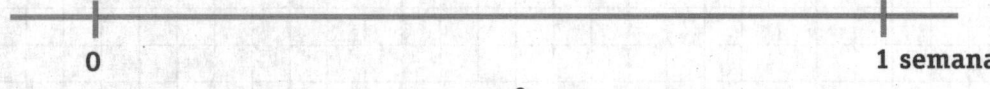

0   1 semana

• En la siguiente recta se han señalado $\frac{2}{7}$ de semana y el punto donde termina una semana. Señala el punto que representa el inicio de la semana.

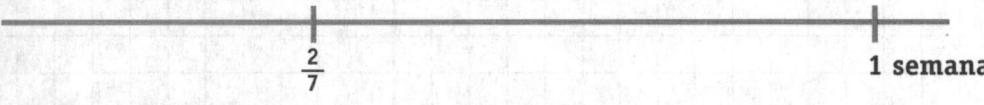

$\frac{2}{7}$ 1 semana

• Comprueba que la "semana" se puede dividir en 7 partes iguales. ¿Cuánto representa cada parte? _____

2. Si el segmento 0,1 representa la duración de un día, señala el punto que indicaría las primeras ocho horas.

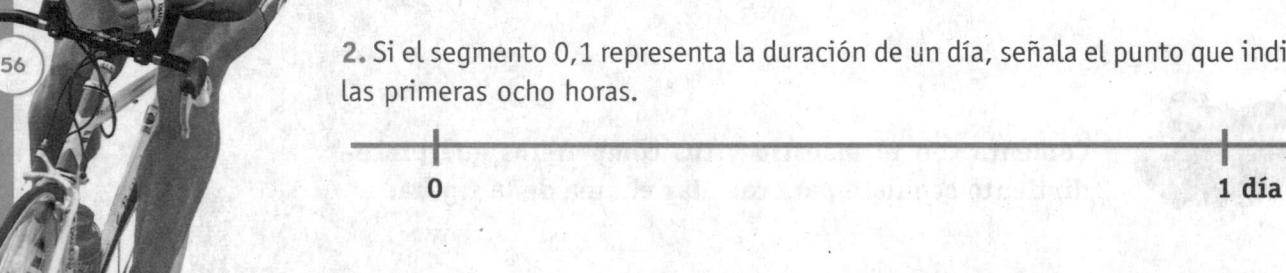

0   1 día

¿A cuántos días corresponde el punto marcado?

0   1 semana

¿A cuántos meses corresponde el punto marcado?

0   1 año

¿A cuántos años corresponde el punto marcado?

0   1 lustro

• La recta puede ser útil para comparar fracciones. Úsala para saber en cada caso
  cuál fracción es mayor.

$\frac{2}{3}$ y $\frac{3}{5}$, ¿cuál es mayor? _____

0   1

$\frac{4}{5}$ y $\frac{5}{7}$, ¿cuál es mayor? _____

0   1

$\frac{7}{5}$ y $\frac{11}{8}$, ¿cuál es mayor? _____

0   1   2

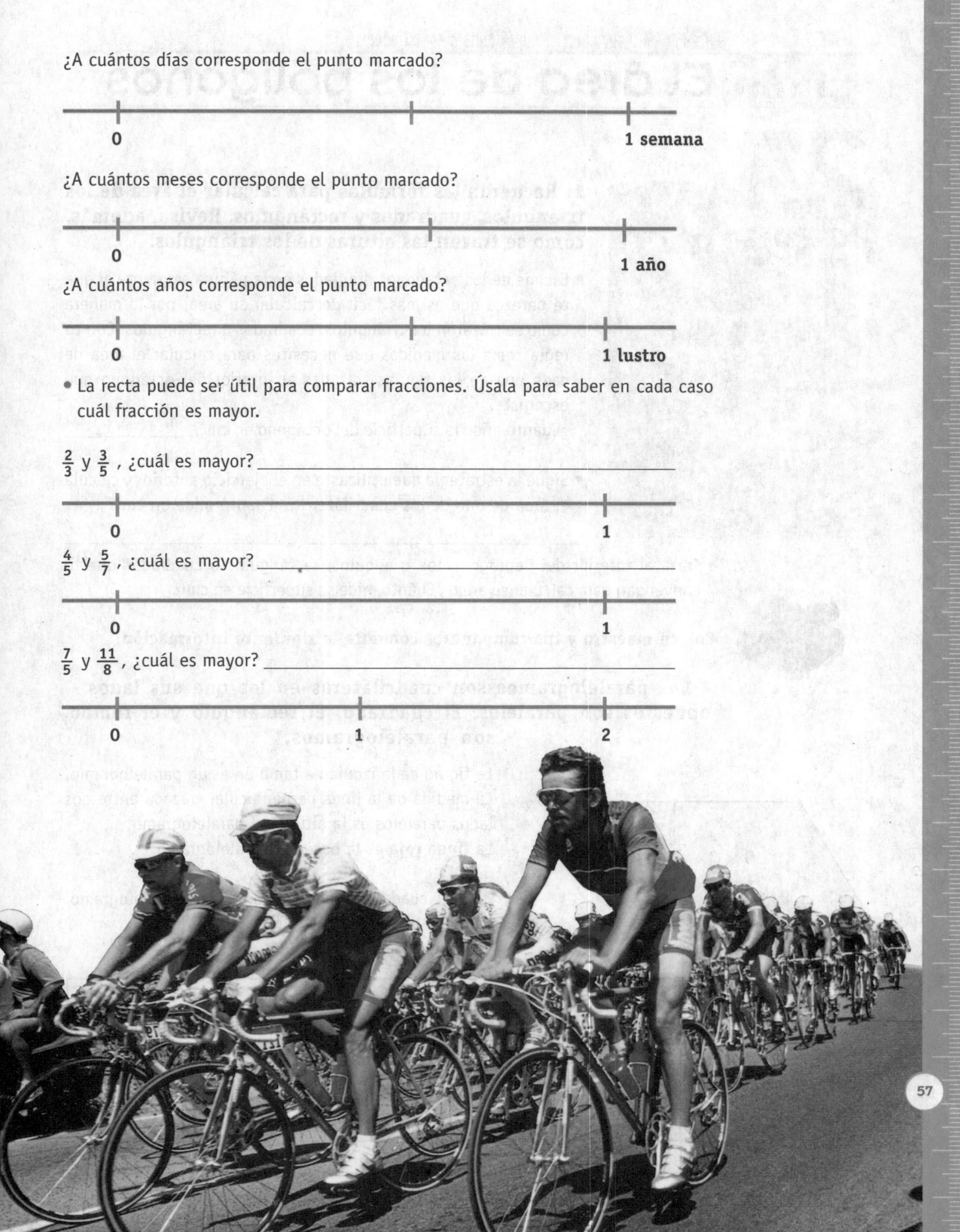

El área de los polígonos

24

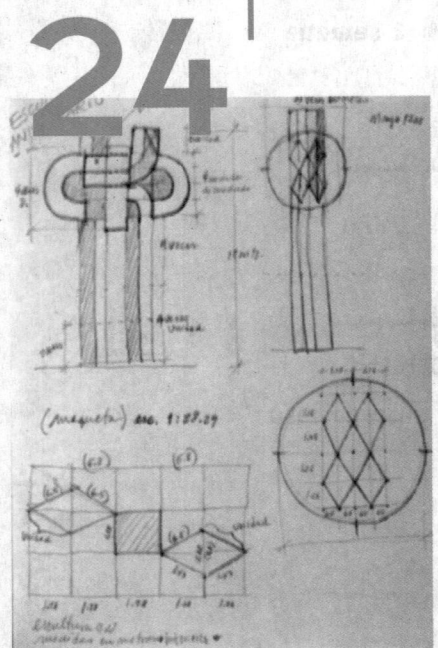

1. Recuerda las fórmulas para calcular el área de los triángulos, cuadrados y rectángulos. Revisa, además, cómo se trazan las alturas de los triángulos.

• Escoge de los octágonos dibujados en la página siguiente el que te parezca que es más fácil de calcular su área, por la manera como se trazaron los triángulos, cuadrados o rectángulos. Con tu regla toma las medidas que necesites para calcular el área de cada una de las figuras trazadas al interior del octágono que escogiste.
¿Cuánto mide la superficie del octágono en cm²? _____

• Sigue la estrategia que utilizaste en el ejercicio anterior y calcula el área de uno de los cuadriláteros. ¿Cuánto mide en cm²?

_____

• Traza al interior del heptágono los triángulos, rectángulos o cuadrados que te convengan para calcular su área. ¿Cuánto mide su superficie en cm²?_____

Con tu maestro y tus compañeros comenta la siguiente información:

Los paralelogramos son cuadriláteros en los que sus lados opuestos son paralelos. El cuadrado, el rectángulo y el rombo son paralelogramos.

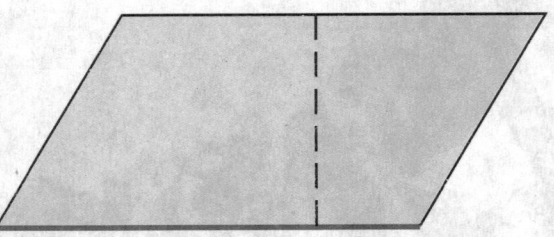

La figura de la izquierda también es un paralelogramo. La medida de la línea perpendicular trazada entre dos lados paralelos es la altura del paralelogramo.
La **línea roja** es la base del paralelogramo.

2. En tu cuaderno cuadriculado traza un paralelogramo, parecido al coloreado con rojo, y recórtalo.

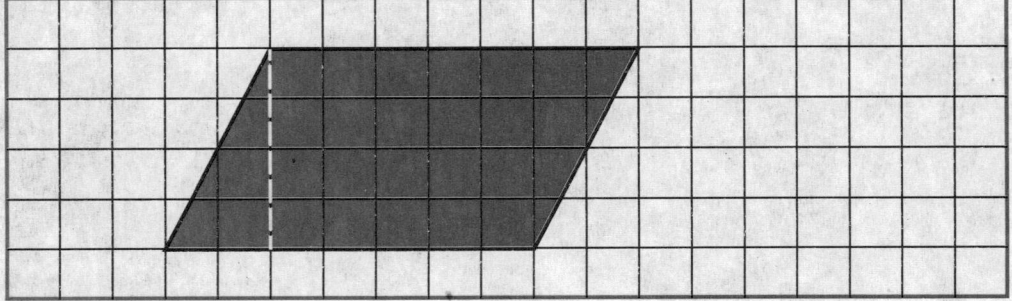

- Traza la altura del paralelogramo, como se muestra en el dibujo de la página anterior.

  ¿Cuánto mide la altura del paralelogramo? _____

  ¿Cuánto mide su base? _____

- Recorta el triángulo que se formó, a partir de la altura que marcaste.

- Coloca el triángulo de tal manera que al unirlo con la otra parte del paralelogramo se forme un rectángulo.

  ¿Cuánto mide la altura del rectángulo que formaste? _____

  ¿Cuánto mide su base? _____

- Compara las alturas y las bases del paralelogramo y del rectángulo. ¿Cómo son entre sí? _____

- Escribe cómo se puede calcular el área de un paralelogramo si conoces la medida de su base y de su altura.

 **Coméntalo con tu maestro y tus compañeros.**

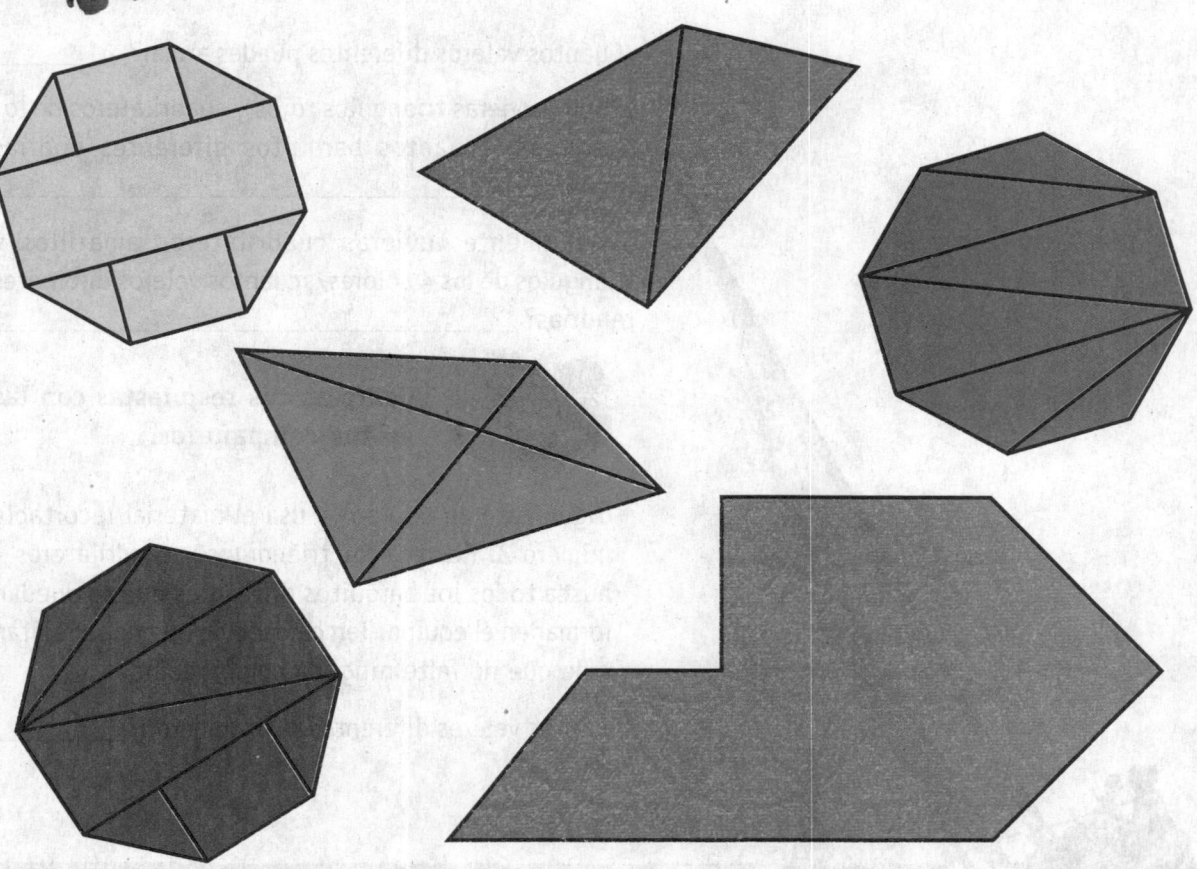

**Cuando no tenemos la fórmula para medir la superficie
de un polígono, se pueden trazar adentro de él triángulos,
rectángulos o cuadrados, y después calcular el área de cada
uno de ellos para encontrar el área total del polígono.**

LECCIÓN

La flota naval

25

1. Para celebrar el Día de la Marina, Concha y Pedro propusieron adornar el salón con una flota de veleros de colores. En cartulinas verde, roja, amarilla y azul dibujaron y recortaron triángulos y cuadriláteros para armar veleros, como los siguientes. Los triángulos eran las velas y los cuadriláteros, los cascos de los barquitos.

¿Cuántos veleros diferentes puedes armar?_____

Si sólo tuvieras triángulos rojos y cuadriláteros de los 4 colores, ¿cuántos barquitos diferentes podrías formar?_____

Si solamente tuvieras cuadriláteros amarillos y triángulos de los 4 colores, ¿cuántos veleros diferentes tendrías?_____

Compara tus respuestas con las de tus compañeros.

• Organízate en equipos y usa el material recortable número 3. Recorta los triángulos y cuadriláteros y busca todos los barquitos diferentes que se puedan formar en el equipo. Ten cuidado de que no se repitan y de que no falte ninguna combinación.

¿Cuántos veleros diferentes se obtuvieron?_____

2. Para contar las distintas combinaciones de cascos y velas, Concha pensó en hacer una lista de todas las combinaciones posibles, para contarlas después.

• Completa la lista que hizo Concha y cuenta todas las combinaciones que encontraste. Fíjate que no falte ninguna y que no se repita ninguna.

• Después, haz una lista igual con las combinaciones que encontraste con tu equipo.

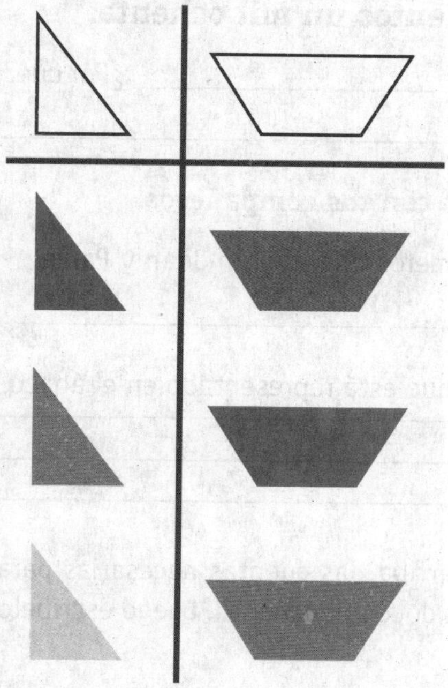

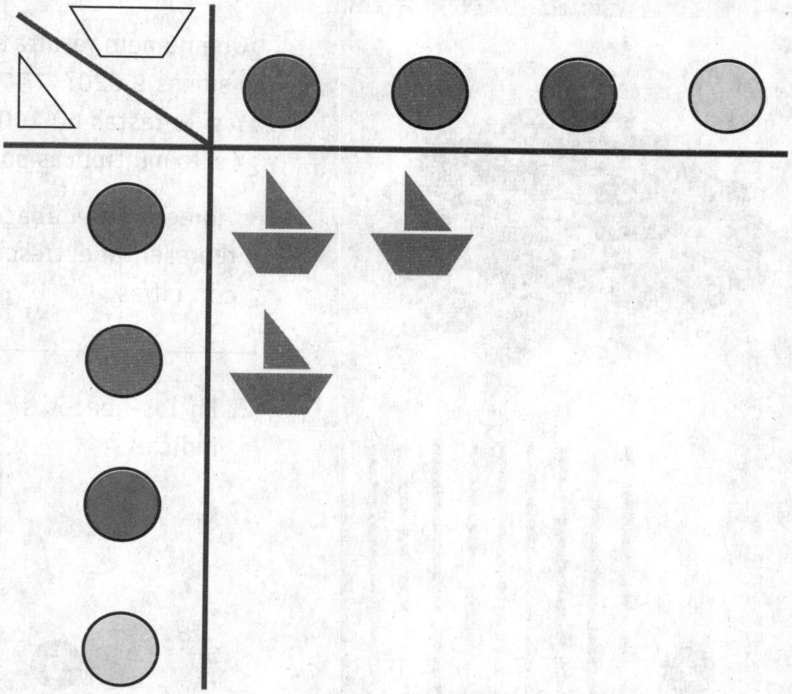

3. Pedro pensó que era más fácil contar las combinaciones si se hace una tabla de doble entrada, como la que está a la derecha.

• Completa la tabla de doble entrada de Pedro, después cuenta las combinaciones. ¿Cuántas fueron? _____

¿Estás seguro que no falta ninguna combinación? _____
¿Por qué? _____

¿Estás seguro que no hay ninguna combinación repetida? _____
¿Por qué? _____

Comenta con tus compañeros y tu maestro cuál de las dos formas de contar las combinaciones es mejor y por qué.

61

Hasta centenas de millar

26

1. Juan dice que en el ábaco está representado el treinta y un mil ochocientos. Paula dice que está representado el trescientos un mil ochenta.

¿Quién tiene razón? _____ ¿Por qué?

_____

Coméntalo con tus compañeros.

• Escribe con cifras los números que dijeron Juan y Paula.

_____

¿Qué número resulta si, al que está representado en el ábaco, le sumas 9 020? _____

¿Y si le restas 60 100? _____

¿Y si lo multiplicas por 10? _____

• Agrega, en el ábaco de arriba, las cuentas necesarias para representar el trescientos doce mil ochenta. Luego escríbelo con cifras.

_____

2. En los ábacos siguientes representa los números que se indican.

a

b

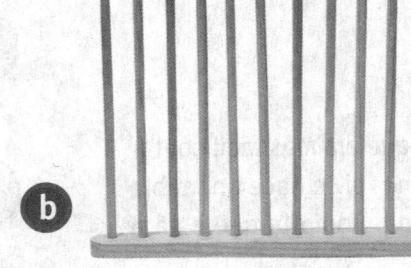

1 + 3 000 + 100 000 + 80 centenas   **1 + 80 decenas + 700 000 + 16 unidades de millar**

• Calcula la diferencia entre el número que representaste en el ábaco **a** y el que representaste en el ábaco **b**.

_____

Si sumas 199 a cada uno de los números, ¿qué números obtendrás?

_____

_____

3. ¿Cuáles de los nombres que aparecen en las columnas de la siguiente tabla conoces? Márcalos con rojo.

- Localiza en tu libro de *Geografía* la página donde están los diámetros de los planetas. Después anótalos en la tabla, del menor al mayor.

Centenas de millar	Decenas de millar	Unidades de millar	Centenas	Decenas	Unidades

¿Pudiste escribir todos los números en las seis columnas? _____

¿Cuál es el número mayor que escribiste en la tabla? _____

¿Cuál sería el mayor número que podrías escribir en ella? _____

Si le aumentaras una unidad a ese número, ¿cuántas columnas necesitarías para escribirlo? _____

¿Cuál sería ese número? _____

- Calcula mentalmente para responder, luego comprueba con tu calculadora.

¿Cuáles de los números que anotaste en la tabla podrías escribir en las seis columnas si los multiplicas por 10? _____

¿Cuáles no? _____

 **4. Comenta con tu maestro y tus compañeros lo necesario para que puedas completar lo siguiente:**

Las decenas representan grupos de 10 unidades.

Las centenas representan _____

Las decenas de millar representan _____

Las centenas de millar representan _____

¿En cuáles de los números que escribiste en la tabla, el 4 representa grupos de 10 000? _____

¿En cuáles el 1 representa grupos de 100 000? _____

LECCIÓN

¿Qué tan altos somos?

27

1. Organiza con tus compañeros de grupo una investigación para conocer la estatura de los alumnos de 5° grado.

Óscar y Ana lo hicieron en su salón. Éstos fueron los datos que obtuvieron en metros.

1.33, 1.34, 1.28, 1.34, 1.38, 1.29, 1.32, 1.32, 1.33, 1.30, 1.31, 1.31, 1.31, 1.33, 1.32, 1.32, 1.33, 1.35, 1.33, 1.36, 1.35, 1.33, 1.34, 1.29, 1.34, 1.33, 1.35, 1.32, 1.35, 1.36

- Ordena en tu cuaderno los datos de Ana y Óscar, de menor a mayor.
- Junto con tus compañeros, mide la estatura de todos los alumnos del grupo y haz una lista en el pizarrón, ordenando los datos de menor a mayor.

2. Ana propuso encontrar el **promedio** de las estaturas de su grupo. Con su calculadora sumó todas las estaturas y el resultado lo dividió entre el número total de alumnos. Encontró que el promedio de estaturas de su grupo era de 1.328 m.

- Comprueba el resultado de Ana usando tu calculadora. ¿Cuánto te dio la suma? _____ ¿Cuántos alumnos hay en la clase de Ana? _____

- Con la ayuda de tu calculadora, encuentra el promedio de los datos de tu salón. ¿Cuál es el promedio de estaturas en tu grupo? _____

- Comprueba que el promedio de las estaturas es un valor intermedio entre el menor y el mayor de los datos. ¿Por qué crees que pase esto? Discútelo con tus compañeros.

En promedio, ¿el grupo de Óscar y Ana es más alto o menos alto que el tuyo?

_____

64

- Compara la estatura del más alto de tus compañeros con la del más alto de los compañeros de Ana y Óscar, ¿cuál es más alto? _____

- Compara la estatura del menos alto de tus compañeros con la del menos alto de los compañeros de Ana y Óscar, ¿cuál es menos alto? _____

Tabla de frecuencias		
Estatura (metros)	Marcas	Frecuencia
menos de 1.28		0
1.28	/	1
1.29	//	2
1.30	/	1
1.31	///	3
1.32	/////	5
1.33	///// //	7
1.34	////	4
1.35	////	4
1.36	//	2
1.37		0
1.38	/	1
más de 1.38		0
Total		30

3. Óscar y Ana se dieron cuenta que algunas de las estaturas se repetían, entonces decidieron hacer la tabla de frecuencias que aparece a la izquierda. La **frecuencia** es el número de veces que se repite cada estatura. Observa con cuidado la tabla y compárala con la lista de datos de Ana y Óscar.

- Haz una tabla de frecuencias con los datos que obtuvieron en tu salón.

¿Cuál es la estatura más frecuente?

_____

4. Ana y Óscar decidieron también hacer una gráfica de barras con los datos de su grupo y obtuvieron la gráfica que aparece a la derecha. Obsérvala y contesta las siguientes preguntas:

¿Con qué frecuencia se presenta la estatura de 1.32 m? _____
Las frecuencias en la gráfica suben hasta un valor máximo, ¿cuál es este valor?_____
Fíjate que en el 1.30 m se interrumpe esta tendencia. Después del valor máximo, las frecuencias disminuyen. ¿Con qué valor se interrumpe la tendencia a disminuir?

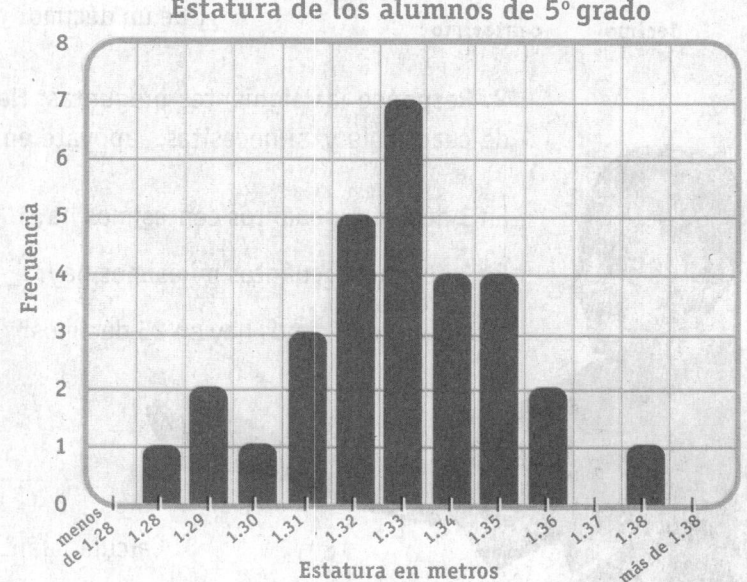

Estatura de los alumnos de 5° grado

- Haz una gráfica de barras con los datos de la tabla de frecuencias de las estaturas de tu grupo y contesta las mismas preguntas que contestaste con tus compañeros en el ejercicio número 4.

65

LECCIÓN

28

¿Cuántos centésimos y milésimos?

1. **Tú ya conoces los números decimales desde cuarto año. En esta lección aprenderás algo más sobre ellos.**

décimo   centésimo

= milésimo

• Responde las siguientes preguntas. Si necesitas, apóyate en el rectángulo verde que aparece a la izquierda. Considera que representa una *unidad*.

¿Qué es más grande, un décimo o un centésimo?

_____

¿Cuántas veces cabe un centésimo en un décimo?

_____

¿Cuántas veces cabe un décimo en la unidad? _____
¿y un centésimo? _____
¿y un milésimo? _____

¿Qué parte de un décimo es un centésimo?

_____

¿Qué parte de un centésimo es un milésimo? _____
¿y de un décimo? _____

2. Responde las siguientes preguntas. Haz varios *rectángulos-unidad* en una hoja de cuadrícula y, si necesitas, apóyate en ellos para obtener las respuestas.

En 3 décimos, ¿cuántos centésimos hay? _____ ¿Y en 4 décimos? _____

En 5 décimos, ¿cuántos milésimos hay? _____ ¿Y en 7 décimos? _____

¿Cuántos centésimos hay en 25 décimos? _____ ¿Y en 30? _____

3. Calcula cuántos décimos hay en...

4 unidades _____ 1 unidad _____

7 unidades _____ 1.5 unidades _____

2.3 unidades _____ 4.4 unidades _____

• Comprueba tus respuestas utilizando tu *rectángulo-unidad*.

4. Calcula a cuántos centésimos equivalen las siguientes cantidades.

5 décimos _____   7 décimos _____   1 unidad _____

2 unidades _____   3.5 unidades _____   8.5 décimos _____

5. Trabaja con un compañero. Él te dice un número y tú le dices cuántos milésimos hay en ese número. Luego, tú le preguntas y él responde. Haz esto unas cinco veces. Puedes comprobar tus respuestas utilizando tus *rectángulos-unidad*.

6. Junto con tu maestro y tus compañeros, completa el cuadro siguiente.

Unidades de millar	Centenas	Decenas	Unidades	Décimos		Milésimos
1 x 10 x 10 x 10		1 x 10	1		$\frac{1}{100}$	

7. En cada pareja de sumas, subraya la que creas que tendrá un resultado mayor.

$$4 + \frac{30}{100} + \frac{25}{100} \qquad o \qquad 4 + \frac{4}{10} + \frac{20}{100}$$

$$2 + \frac{25}{100} + \frac{1}{10} \qquad o \qquad 2 + \frac{2}{10} + \frac{45}{100}$$

$$5 + \frac{3}{10} + \frac{5}{100} \qquad o \qquad 5 + \frac{3}{10} + \frac{450}{1000}$$

- Comprueba tus resultados, escribiendo las sumas o coloreando sobre un *rectángulo-unidad*.

- Ordena, del menor al mayor, los números que obtengas al hacer las sumas de este ejercicio.

_____
_____
_____
_____

Compara tus respuestas con las de tus compañeros.

67

LECCIÓN
Perímetros y áreas

29

1. Calcula el área y el perímetro de cada una de las figuras que aparecen en la página siguiente. Registra en la tabla tus resultados.

Nombre	Figura	Perímetro	Área
	Anaranjada	16 cm	
	Amarilla		
	Verde		
	Café		
	Azul	19.5 cm	
	Marrón		16 cm²
	Gris		
	Morada		

• Contesta las siguientes preguntas.

¿Cuáles figuras tienen el mismo perímetro?_____
¿Sus áreas son iguales?_____
¿Las figuras tienen la misma forma?_____

¿Cuáles figuras tienen la misma área? _____
¿Sus perímetros son iguales? _____
¿Las figuras tienen la misma forma?_____

2. Dibuja en la cuadrícula una figura diferente a la anaranjada que tenga también 16 cm de perímetro y 7 cm² de área.

• Dibuja en la cuadrícula una figura que tenga la misma área que la figura gris. Calcula su perímetro. ¿El perímetro es igual al de la figura gris? _____

Comenta con tu maestro y tus compañeros la siguiente información:

Hay figuras de formas diferentes que tienen el mismo perímetro, pero sus áreas no son iguales.

Hay figuras diferentes que tienen la misma área, pero sus perímetros no miden lo mismo.

Hay figuras diferentes con el mismo perímetro y la misma área.

3. Con el material recortable número 4, construye con un compañero la estructura de diferentes polígonos. ¿Puedes hacer dos triángulos que tengan el mismo perímetro y diferente área? ¿Y al revés? Explora la relación entre perímetro y área con otros polígonos.

1cm²

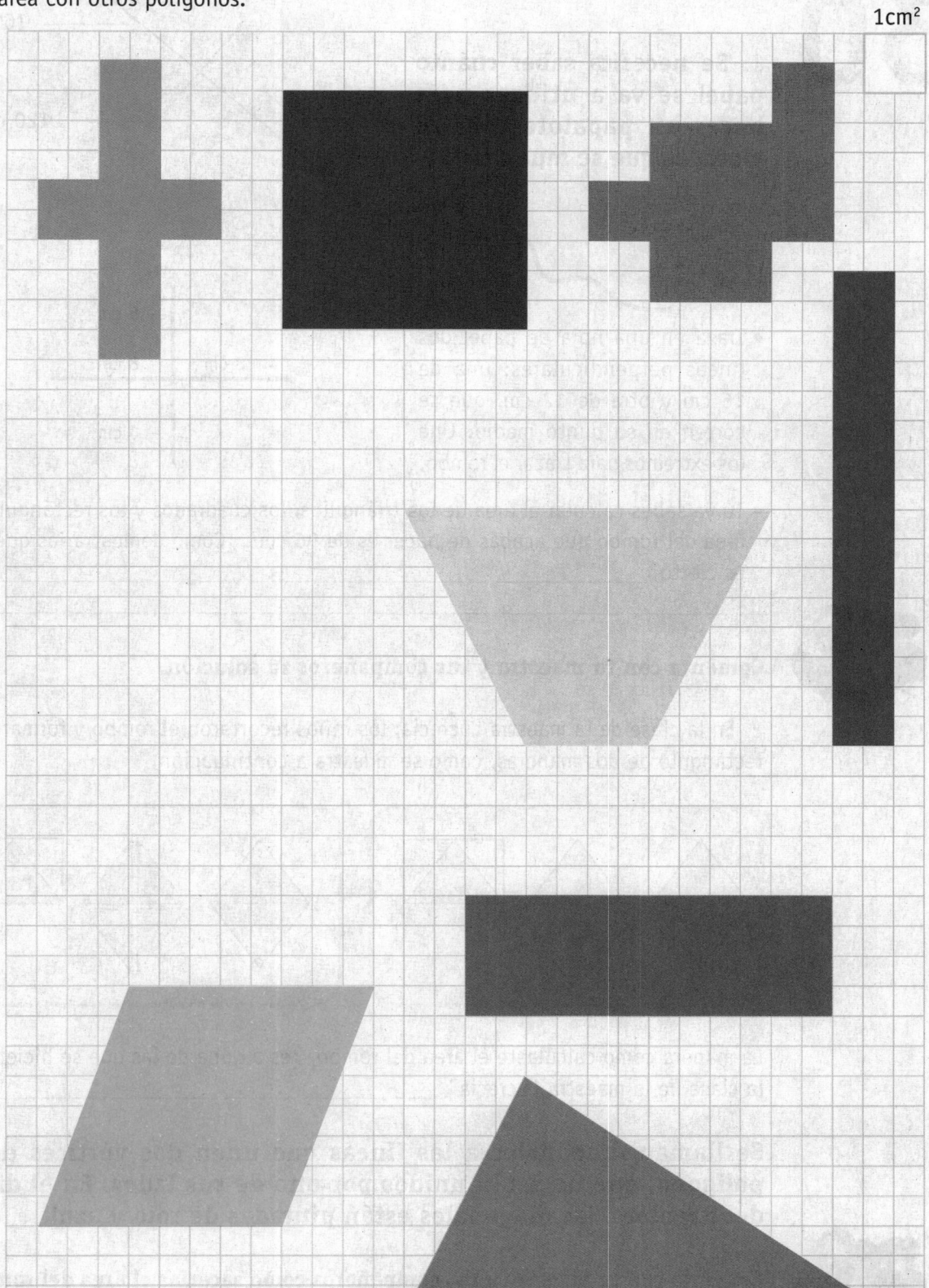

LECCIÓN 30 El papalote

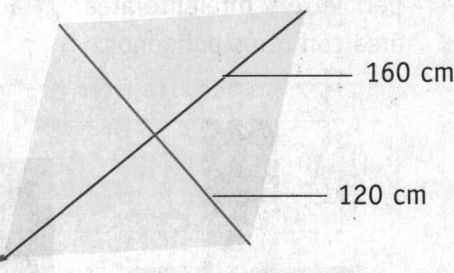

1. Se necesita saber cuánto papel se va a utilizar para hacer un papalote con las medidas que se muestran.

160 cm

120 cm

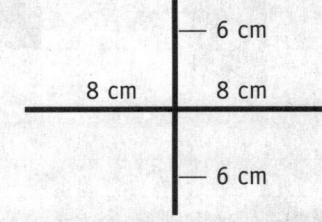

6 cm

8 cm | 8 cm

6 cm

• Traza en una hoja de papel dos líneas perpendiculares: una de 16 cm y otra de 12 cm, que se corten en su punto medio. Une los extremos para trazar el rombo.

• Tú ya sabes calcular el área de los triángulos, los cuadrados y los rectángulos. El área del rombo que acabas de hacer es de 96 cm². ¿Cómo demostrarías que esto es cierto? _____

_____

Comenta con tu maestro y tus compañeros tu solución.

2. En la clase de la maestra Lucrecia, los niños recortaron el rombo y formaron un rectángulo de dos maneras, como se muestra a continuación.

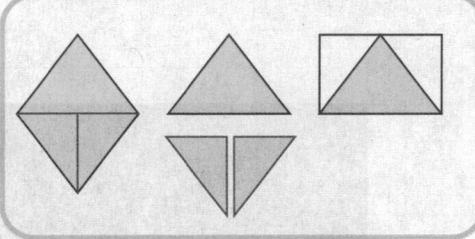

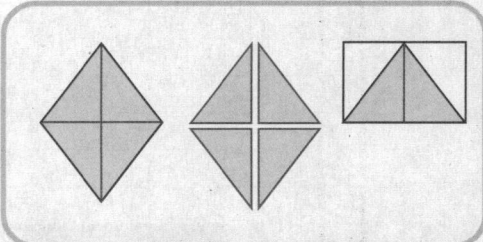

La manera como calculaste el área del rombo, ¿es alguna de las que se hicieron en la clase de la maestra Lucrecia? _____

Se llaman diagonales a las líneas que unen dos vértices de un polígono, que no están unidos por uno de sus lados. En el dibujo del papalote, las diagonales están pintadas de rojo y azul.

Comenta con tu maestro y tus compañeros cómo sacarías el área del rombo si conoces las medidas de la diagonal mayor y de la diagonal menor del rombo.

3. En la clase de la maestra Lucrecia los niños encontraron también otra manera para calcular el área del rombo.

Dibujaron el rombo dentro de un rectángulo.

Recortaron el rombo azul y acomodaron los triángulos amarillos que les quedaban para formar otro rombo igual.

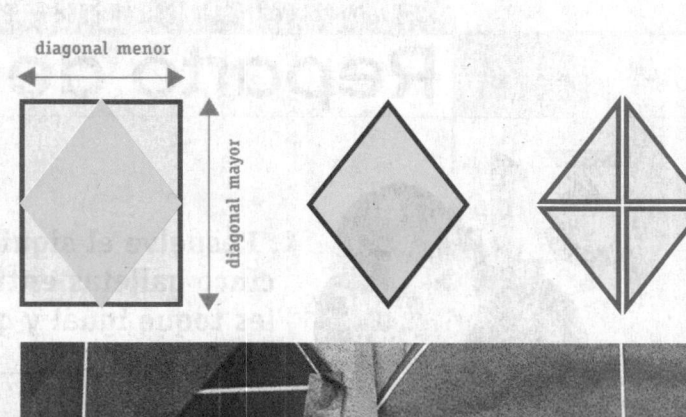

diagonal menor

diagonal mayor

Comenta con tu maestro y tus compañeros lo que hicieron los niños de la clase de la maestra Lucrecia.

Del rectángulo cuya base es igual a la diagonal menor del rombo azul y su altura es igual a la diagonal mayor del rombo azul, se obtienen dos rombos iguales. Entonces, para calcular el área del rombo azul, se calcula el área del rectángulo y el resultado se divide entre dos.

$$\text{Área del rombo} = \frac{\text{diagonal menor} \times \text{diagonal mayor}}{2}$$

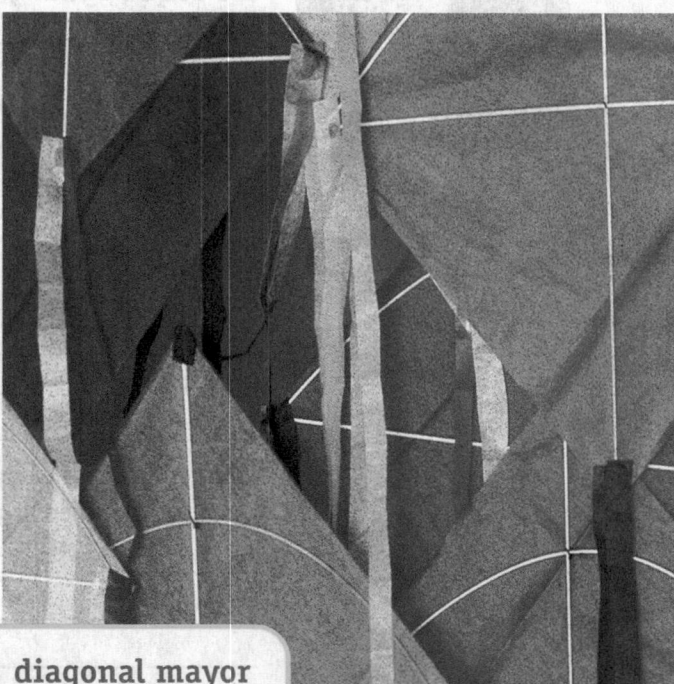

La fórmula que encontraste con tus compañeros para obtener el área del rombo en el ejercicio 2, ¿es la misma que obtuvieron los niños de la maestra Lucrecia?

_____

¿Qué medidas debe tener un pliego de papel, para poder hacer un papalote con 160 cm en su diagonal mayor y 120 cm en su diagonal menor?

_____

LECCIÓN

Reparto de galletas

31

1. **Resuelve el siguiente problema: Alicia quiere repartir cinco galletas entre ocho niños, de manera que a todos les toque igual y que no sobre. ¿Cuánto le tocará a cada uno?** _____

Después de resolver el problema, compara tu resultado con el de otros compañeros.

Lo que le tocó a cada niño, ¿es más que una galleta o menos que una galleta? _____

_____

¿Por qué? _____

_____

Lo que le tocó a cada niño, ¿es más que media galleta o menos que media galleta?

_____

¿Por qué? _____

Si son ocho niños, ¿cuántas galletas se necesitan para que a cada niño le toque una galleta entera?

_____

Si son ocho niños, ¿cuántas galletas se necesitan para que a cada niño le toque $\frac{1}{2}$ galleta?

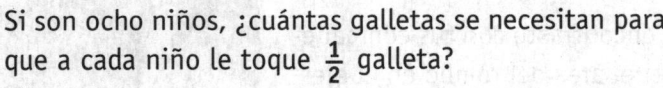

Y para que les toque $\frac{1}{4}$ de galleta, ¿cuántas se necesitan?

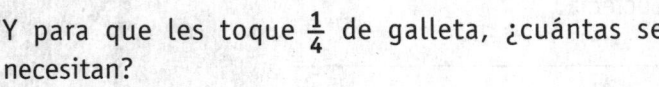

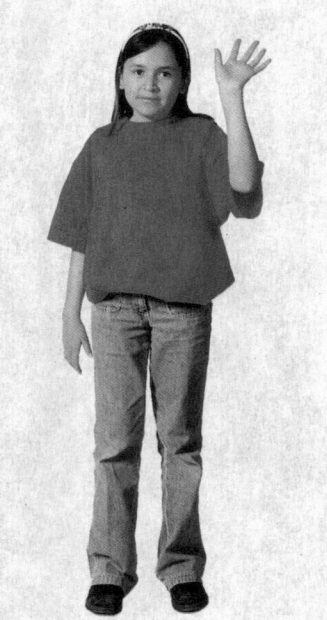

2. Si se reparten cuatro galletas entre tres niños, de manera que a todos les toque igual y que no sobre, ¿a cada niño le tocará más que una galleta o menos que una galleta? _____
¿Por qué? _____

_____

_____

3. Completa los datos en la siguiente tabla.

Datos del reparto		Lo que le toca a cada uno		
Galletas	Niños	Más que una galleta	Una galleta	Menos que una galleta
1	3			X
4	5			
5	4			
6	6			
14	15			
3	2			
7		X		
	9			X
	2		X	
		X		

4. Rodrigo repartió algunas galletas entre sus amigos. A cada niño le tocó $\frac{3}{4}$ de galleta. ¿Cuántas galletas pudo haber repartido Rodrigo y cuántos niños pueden ser?

_____

Comenta con tus compañeros y tu maestro las respuestas que puede tener este problema.

Juan dijo que eran tres galletas y cuatro niños. Pablo dijo que eran seis galletas y ocho niños. ¿Quién de los dos tiene razón?

_____
_____

5. A Juan le tocó $\frac{2}{3}$ de galleta y a María $\frac{4}{6}$ de galleta. ¿A quién le tocó más? _____
¿Por qué? _____
_____

• Encuentra tres situaciones diferentes de reparto de galletas entre niños, en los que a cada niño le toque la misma cantidad de galleta.

_____
_____
_____
_____
_____
_____
_____

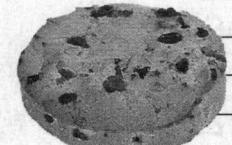

LECCIÓN

¿A qué hora nos vemos?

32

1. Para medir el tiempo, usamos unidades como año, mes, semana. ¿Qué otras unidades de tiempo conoces?

_____

2. Comenta con tu maestro de dónde sale la unidad de un año y de dónde la unidad de un día.

¿Cuántas horas tiene un día? _____

¿Cuántos minutos tiene una hora? _____

¿Cuántos segundos tiene un minuto? _____

3. Meche le dijo a Alejandro que llegara el viernes a su casa, 15 minutos antes de la hora del noticiero. Meche y Alejandro tienen que ver el noticiero de las nueve treinta para hacer una tarea de ecología. Meche le dio a Alejandro el siguiente recado para que no se le olvidara la hora.

Nos vemos a las 21:15 hrs. en mi casa.

T.Q.M. Meche

Meche y Alejandro se van a ver, ¿en la mañana o en la noche? _____

4. En la secundaria donde estudian Meche y Alejandro, las clases empiezan a las 7:30 a.m. y terminan a las 2:30 p.m. Las clases duran 50 min. y descansan 10 minutos entre clase y clase.

¿Sabes lo que significa a.m. y p.m? _____

Comenta con un compañero lo que hizo Meche para saber a qué hora termina su segunda clase.

	Hora	Minutos
Entrada	7	30
+ 1a. clase		50
+ descanso		10
+ 2a. clase		50
	7	140
	9	20

A las 9:20 a.m. termina la segunda clase.

74

5. El maestro Melitón da clases de Matemáticas en la secundaria de Meche y Alejandro. Atiende a cuatro grupos. Cada grupo recibe cinco clases a la semana. Usa tu calculadora para saber cuánto tiempo a la semana ocupa el maestro Melitón para dar clases. _____

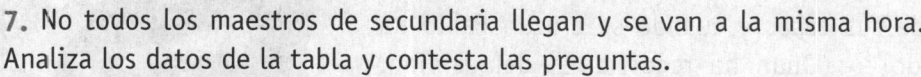

6. Meche y Alejandro tienen una clase diaria de Matemáticas de 50 minutos. Usa un calendario y tu calculadora para averiguar cuántas horas en total van a tener de clase Meche y Alejandro el próximo mes de marzo. _____

7. No todos los maestros de secundaria llegan y se van a la misma hora. Analiza los datos de la tabla y contesta las preguntas.

Maestro	Hora de llegada	Hora de salida
Irasema	7:30	11:20
Gerardo	11:30	14:30
Luz María	8:30	11:20

Si la maestra Irasema asiste todos los días a la escuela con el mismo horario de trabajo, ¿cuántas clases da a la semana? _____

La maestra Luz María tiene libres los miércoles y llega a la escuela una hora antes de su clase para preparar su material de Biología, ¿cuántas horas está en la escuela cada quincena? _____

El maestro Gerardo está en la escuela nueve horas a la semana. En la tabla se muestra el horario que tiene dos de los días que va a la escuela. Si su horario de entrada no cambia, ¿a qué hora sale los demás días de la semana? _____ ¿Cuántos días libres tiene? _____

8. En una competencia de carrera de relevos, el equipo de Meche y el de Alejandro registraron los tiempos que se señalan en las siguientes tablas. ¿Qué equipo ganó? _____

Equipo de Meche	
Meche	2 min. 36 seg.
Rafael	3 min. 45 seg.
Óscar	2 min. 38 seg.
Paty	4 min. 56 seg.

Equipo de Alejandro	
Alejandro	3 min. 56 seg.
Marisa	2 min. 58 seg.
Pedro	3 min. 36 seg.
Lola	2 min. 45 seg.

LECCIÓN

La escuela de Pablo

33

1. Pablo y Juan viven en lugares distintos, pero cada uno de ellos tiene que recorrer un kilómetro para ir de su casa a la escuela.

Salen de sus casas y cuando se cruzan Pablo ha recorrido $\frac{3}{5}$ y Juan ha recorrido $\frac{6}{10}$ del camino. ¿Quién de los dos está más lejos de su casa?

Comenta tu respuesta con tus compañeros y tu maestro.

2. En el grupo de Pablo hay 32 alumnos, $\frac{5}{8}$ del total son mujeres y $\frac{10}{16}$ del total usan lentes. ¿Quiénes son más, las mujeres o los que usan lentes?

3. Juan ha resuelto $\frac{1}{3}$ de las lecciones de matemáticas, Pablo ha resuelto $\frac{2}{6}$. ¿Quién ha resuelto más lecciones?

4. El salón de Pablo es rectangular. El piso está cubierto con mosaicos de tres colores, $\frac{3}{9}$ del total son verdes, $\frac{6}{18}$ son naranjas y $\frac{9}{27}$ son rojos. ¿De qué color hay más mosaicos?

5. Pablo y Juan compraron lápices de igual tamaño. Pablo ha gastado $\frac{2}{3}$ de su lápiz y Juan ha gastado $\frac{3}{4}$. ¿A quién le queda el lápiz más largo?

• Identifica el esquema que más te sirva de la siguiente página para resolver cada uno de los problemas anteriores.

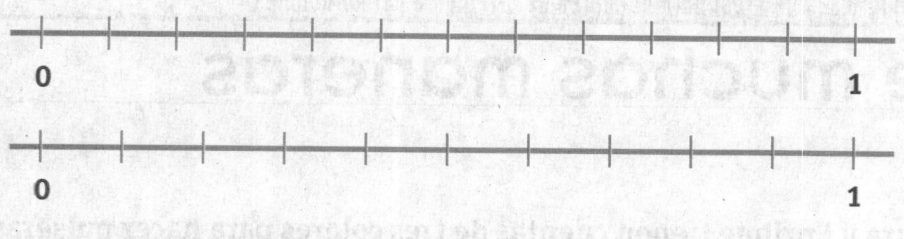

6. Encierra en un círculo todas las fracciones que son equivalentes a $\frac{1}{3}$.

$\frac{5}{30}$ $\frac{6}{24}$ $\frac{7}{21}$ $\frac{3}{12}$ $\frac{4}{12}$ $\frac{10}{60}$ $\frac{10}{30}$ $\frac{4}{24}$ $\frac{2}{8}$ $\frac{2}{6}$

 **Comenta con tus compañeros cómo te diste cuenta.**

7. Trabaja con un compañero. Uno de los dos escribe una fracción y el otro escribe una que sea equivalente. Entre los dos comprueben si lo hicieron bien.

LECCIÓN

De muchas maneras

34

1. **Maura y Enrique tienen cuentas de tres colores para hacer pulseras. Cada pulsera llevará tres cuentas.**

• Fíjate en el diseño que propone Maura:

• Si en cada diseño se usan tres cuentas de distinto color, ¿cuántos diseños diferentes hay? _____

Enrique quiere que en los extremos quede la cuenta azul, ¿cuántos diseños diferentes hay en ese caso? _____

Compara tus respuestas con las de tus compañeros.

2. Para contar ordenadamente los posibles diseños, Enrique propone hacer un diagrama de árbol. Copia el diagrama en tu cuaderno y ayúdale a completarlo.

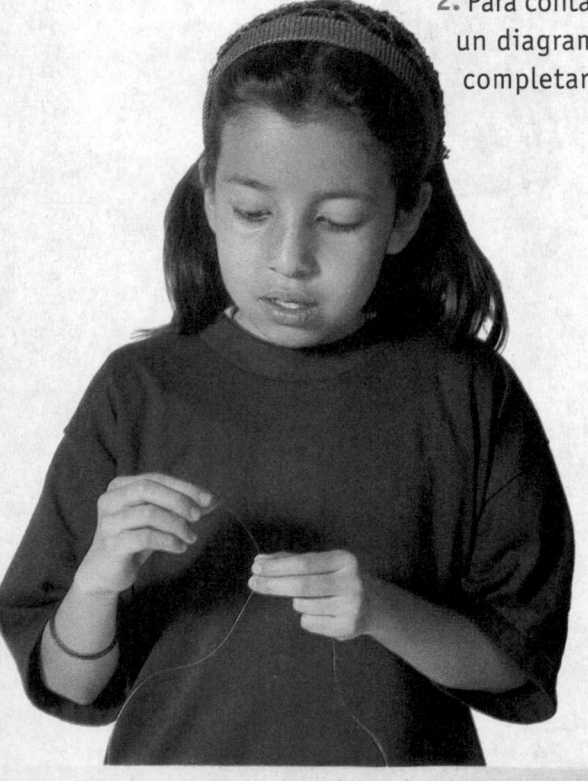

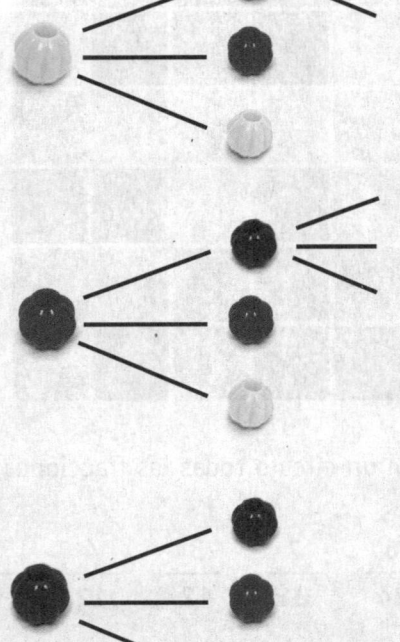

¿Cuántos diseños diferentes se pueden hacer con tres cuentas? _____

3. Maura quiere sustituir la cuenta azul por una verde, ¿cuántos diseños diferentes puede hacer?

_____

• Haz un diagrama para ayudarte a responder.

Enrique quiere agregar cuentas moradas, ¿cuántos diseños diferentes puede hacer si cada pulsera lleva tres cuentas? _____

• Haz en tu cuaderno un diagrama para ayudarte a contar las distintas combinaciones.

4. Busca todas las tercias de números naturales que sumen 10. ¿Cuántas tercias hay? _____

¿Qué tercia es la que tiene el producto mayor?

_____

¿Cuál es la que tiene el producto menor?

_____

• Copia la tabla siguiente en tu cuaderno y complétala. ¿Te parece que la tabla puede ayudarte a contestar las preguntas anteriores?

1	+	1	+	8	=	10
1	+	2	+	7	=	10
1	+	3	+	6	=	10
1	+	4	+		=	10
2	+	2	+		=	10
2	+	3	+		=	10
3	+		+		=	10
3	+		+		=	10

5. ¿De cuántas maneras distintas puedes ordenar las letras de la palabra **AMOR**?

_____

¿Cuáles de esas combinaciones tienen significado? _____

6. Con las letras de tu nombre, ¿puedes formar otras palabras? Encuéntralas.

LECCIÓN

Más sobre los decimales

35

milésimo

décimo   centésimo

1. **En esta lección continuarás aprendiendo sobre los decimales. También necesitarás tus *rectángulos-unidad* que utilizaste en la lección 28.**

• Juan coloreó las cantidades siguientes en sus *rectángulos-unidad*:

$$\frac{75}{100} , \frac{40}{10} \text{ y } \frac{10}{1\,000}$$

Paula coloreó lo siguiente:

$$\frac{4\,000}{1\,000} , \frac{10}{10} \text{ y } \frac{10}{1\,000}$$

¿Quién coloreó más? _____

Rosa coloreó esto en sus *rectángulos-unidad*:

$$\frac{1\,000}{1\,000} , \frac{50}{100} \text{ y } \frac{10}{10}$$

Pedro coloreó esto:

$$\frac{500}{1\,000} , \frac{10}{10} \text{ y } \frac{100}{100}$$

¿Quién coloreó menos? _____
¿Cómo lo sabes?

Coméntalo con tus compañeros y tu maestro.

2. José dijo: Yo coloreé $\frac{78}{100}$ y $\frac{10}{10}$. Joel dijo: Yo coloreé $\frac{80}{100} , \frac{2}{10}$ y $\frac{1\,500}{1\,000}$.

¿Alguien coloreó más de dos *rectángulos-unidad*?
_____ ¿Quién? _____

¿Alguien coloreó menos de un *rectángulos-unidad*?
_____ ¿Quién? _____

• Representa, coloreando en tus *rectángulos-unidad*, un número mayor que el que representó José y un número menor que el que representó Joel. Luego escríbelos en tu cuaderno.

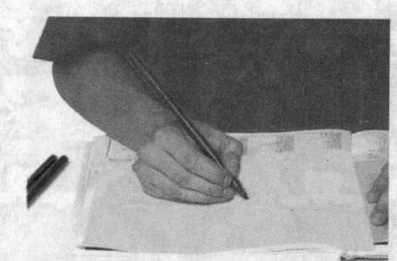

3. Une con una línea los números que representan lo mismo.

.50	$1 + \frac{6}{100} + \frac{6}{1\,000}$	30. 3	$4 + \frac{40}{1\,000}$
1.66	$\frac{5}{100}$	30.303	$4 + \frac{400}{1\,000}$
1.066	$\frac{5}{10}$	30.03	$30 + \frac{3}{100}$
.05	$5 + \frac{5}{1\,000}$	4.040	$30 + \frac{3}{10}$
5.005	$1 + \frac{6}{10} + \frac{6}{100}$	4.400	$30 + \frac{3}{10} + \frac{3}{1\,000}$

4. Completa la primera columna y luego utiliza tu calculadora para llenar la tabla, siguiendo las indicaciones de la columna central.

Tienes	Tecleas	Te resulta
$\frac{7}{100}$	7 ÷ 100 =	0.07
$\frac{12}{10}$	12 ÷ 10 =	
$\frac{8}{1\,000}$	8 ÷ 1 000 =	
$\frac{345}{100}$	345 ÷ 100 =	
	18 ÷ 10 =	
	72 ÷ 10 =	
	144 ÷ 100 =	
	3 ÷ 1 000 =	

• ¿Puedes sacar alguna conclusión de este ejercicio?

Coméntalo con tu maestro y tus compañeros.

5. Contesta en tu cuaderno. Para cada pregunta anota, al menos, tres respuestas:
Tienes **0.5** en la pantalla de tu calculadora, ¿qué podrías haber tecleado?
Tienes **3.4** en la pantalla de tu calculadora, ¿qué podrías haber tecleado?
Tienes **0.001** en la pantalla de tu calculadora, ¿qué podrías haber tecleado?

Comenta tus respuestas con tu maestro y tus compañeros.

La geometría guarda una relación estrecha con el arte. Un ejemplo de ello es el arte decorativo del Islam, que consiste en la elaboración de diseños o patrones geométricos, es decir, la repetición de una o varias figuras que mantienen una regularidad y cubren completamente una superficie. La figura de la derecha es un ejemplo clásico de diseño o patrón geométrico de Arabia.

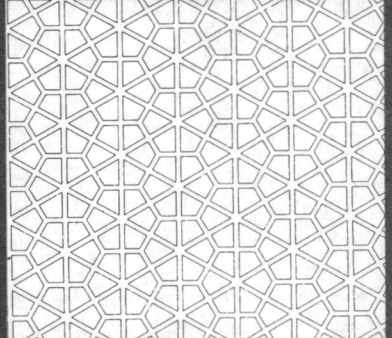

La cultura islámica se desarrolló, durante los siglos VIII al XVI, en el norte de África y en Asia, y su influencia se dejó sentir hasta España, como se observa en el mapa superior. La tradición islámica impulsó el uso de patrones geométricos que simbolizan la creencia en un universo infinito y en la unidad de todas las cosas.

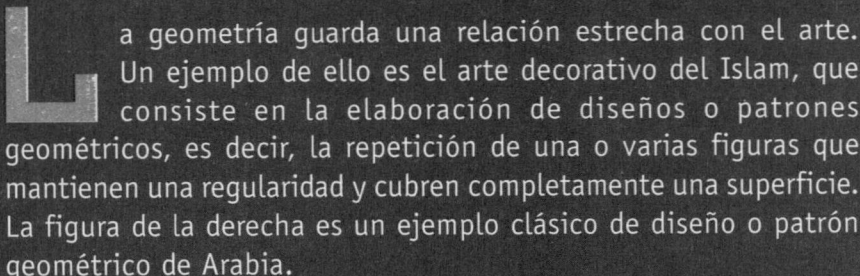

Un problema geométrico interesante consiste en averiguar con cuáles figuras geométricas o *teselas* se puede cubrir completamente el plano, o lo que es lo mismo, construir un *teselado*. Por ejemplo, no es difícil comprobar que uniendo cuadrados o triángulos equiláteros se forma un *teselado*.

82

Palacio del rey en Fez, Marruecos

Vista interior de la Alhambra de Granada, España, y detalle de una pared de mosaico

En cambio, uniendo sólo pentágonos regulares no se forma un *teselado*, como se puede observar en la ilustración amarilla de la página anterior.

¿Cuál es el secreto para que al unir regularmente una o varias figuras alrededor de un vértice se cubra el plano? La respuesta a esta pregunta tiene que ver con el hecho de que una circunferencia se forma con un giro de 360 grados.

Maurits Escher fue un famoso artista gráfico holandés quien, apoyado en los diseños islámicos y en el manejo de conceptos geométricos como la rotación y la traslación, creó sus propios diseños. En esta página puedes apreciar algunos de ellos.

Si te gustan los retos, intenta reproducir alguno de los diseños o patrones que hay en estas páginas o construye alguno distinto.

Fragmentos de obras de Escher

LECCIÓN

36

Pesos y precios

1. En una tienda de abarrotes están preparando paquetes de jalea de distintos pesos. Observa el ejemplo de la etiqueta con el precio. Después calcula los precios de cada paquete de acuerdo con su peso y escríbelos en las etiquetas. Puedes ayudarte con tu calculadora.

375 g

250 g

750 g

500 g $ 25.00

965 g

550 g

125 g

800 g

50 g

2. Anota qué procedimiento utilizaste para obtener:

El precio de 750 gramos de jalea _____

_____

El precio de 250 gramos _____

_____

El precio de 550 gramos _____

_____

El precio de 800 gramos _____

_____

Compara tus procedimientos con los de tus compañeros.

3. Anota en la tabla de la derecha los precios de la jalea.

¿Las cantidades que anotaste varían proporcionalmente?

_____

Peso en gramos	Precio en pesos
50	
125	
250	
375	
500	
550	
750	
800	
965	

 Lee lo que dicen los niños y luego comenta con tu maestro y tus compañeros quién o quiénes de ellos tienen razón.

Pedro dijo: Yo para obtener el precio de 375 gramos sumé el precio de 125 y 250.

Paula dijo: Yo para obtener el precio de 375 gramos me fijé que 125 x 3 da 375, entonces multipliqué 6.25 x 3 y me salió a 18.75.

Paco dijo: Yo primero calculé lo que cuesta un gramo de jalea, y luego lo multipliqué por 375.

Hay distintos procedimientos correctos para resolver los problemas de proporcionalidad. Algunos de ellos son los que utilizaron Pedro, Paco y Paula.

4. Resuelve en tu cuaderno los siguientes problemas. Utiliza los procedimientos que te convengan.

En dos puestos venden alegrías. En uno dan tres por $5. En otro puesto, a una señora que compró 12 alegrías le cobraron $18. ¿En cuál puesto las dan más baratas?

En varias tiendas hay promociones. En una tienda, por cada $200 de compras regalan cuatro cupones que valen $10 cada uno. En otra tienda, por cada $150 regalan tres cupones de $10 cada uno. ¿En alguna de las tiendas conviene más la promoción?

LECCIÓN **Las apariencias engañan**

37

1. En esta lección ampliarás tus conocimientos sobre los decimales. Pon mucha atención porque, a veces, las apariencias engañan.

• Ana dijo: **Mi cinta de medir tiene 2.30 metros de largo.**

Paula dijo: La mía es más grande, ¡tiene 200 centímetros y 300 milímetros!

¿Es cierto lo que dijo Paula? _____ ¿Por qué? Discútelo con tus compañeros. Luego anota la conclusión que obtuviste con base en la discusión.

_____

_____

Las siguientes son las medidas de cuatro listones que Paula cortó. Ordénalas empezando por la menor: 5.25 m, 5.19 m, 5.3 m, 5.1740 m.

_____

2. Pon una paloma a lo que es cierto y una cruz a lo que es falso:

Una cuerda que mide **1 275** milímetros es más larga que otra que mide **140** centímetros.

De los números siguientes, el más próximo a **.17** es **1.7**

0.1   0.20   1.7   .017

De los números que aparecen abajo, el más próximo a 3.5 es 3.550

3.40   3.6   3.42   3.550

Todos los números que aparecen abajo representan el mismo valor que **15.00**

$$\frac{1\,500}{100} \qquad \frac{150}{10} \qquad \frac{15\,000}{1\,000}$$

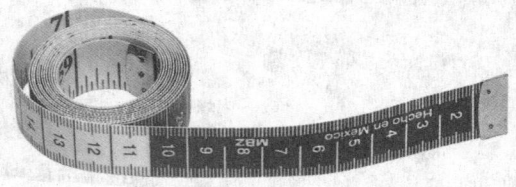

3. Para contestar lo que se pide, considera que la unidad es la recta que aparece dibujada abajo. ¿Qué números deben ir en los rectángulos?

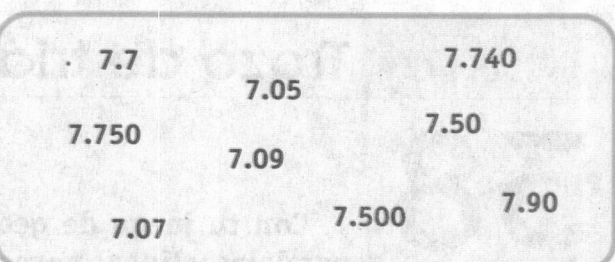

7.7   7.740
7.05
7.750   7.50
7.09
7.07   7.500   7.90

- Escoge de entre los que están en el cuadro de la derecha y anótalos donde corresponda.

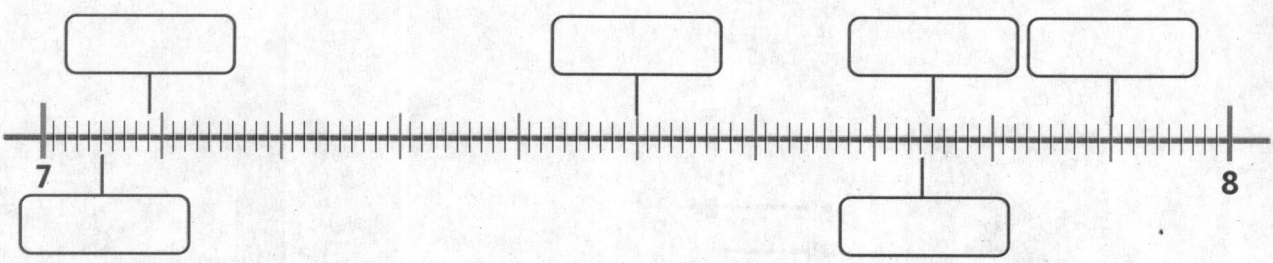

- Anota dos números mayores que 7.8 pero menores que 7.9

_____   _____

- Anota dos números que vayan entre 7.7 y 7.750

_____   _____

4. En este ejercicio, la *unidad* es la cuerda que aparece abajo. De entre los números siguientes, tacha los que van entre 6.01 y 6.06. Luego marca los puntos correspondientes sobre la cuerda y anótalos.

6.2   6.03   6.3   6.04   6.05

6.5   6.011   6.022   6.39

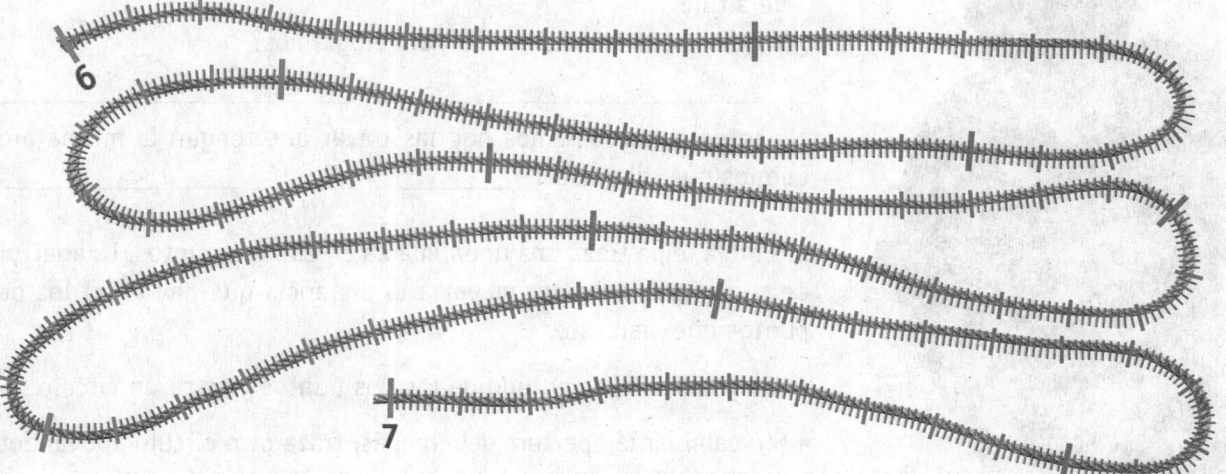

Comenta con tus compañeros y tu maestro lo siguiente: ¿En qué te fijaste para seleccionar los números en este último ejercicio? ¿Por qué crees que esta lección se llama "Las apariencias engañan"?

LECCIÓN

38

Trazo de triángulos y cuadriláteros

1. Con tu juego de geometría explora cómo puedes trazar líneas paralelas y líneas perpendiculares. Haz tus trazos en hojas blancas.

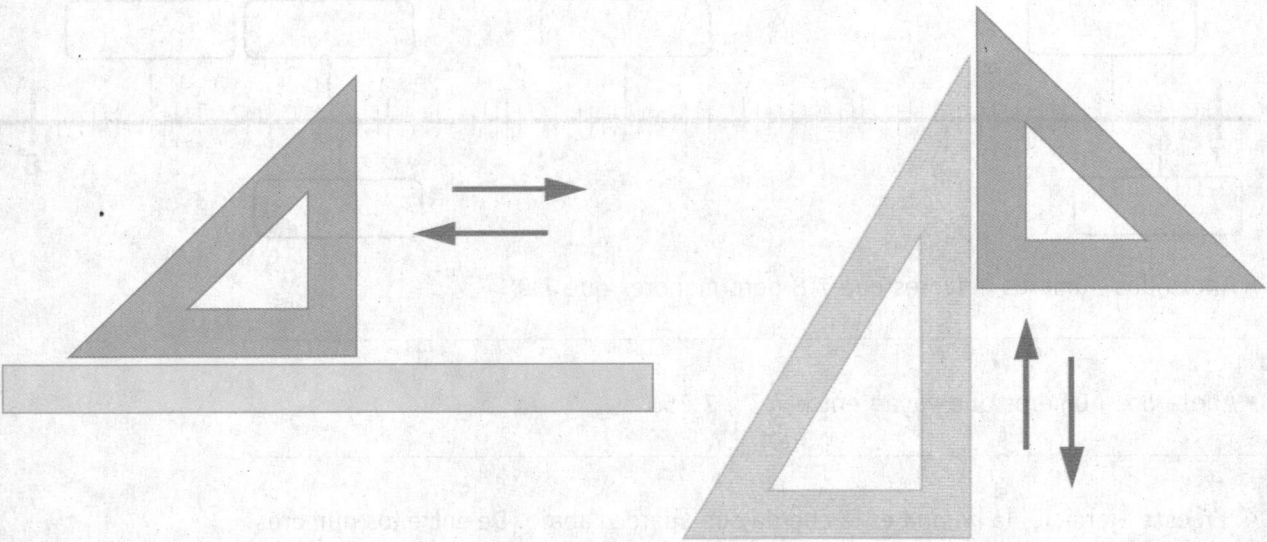

- Con la regla y las escuadras traza un cuadrado que tenga 4 cm por lado y un rectángulo que tenga 5 cm de base y 8 cm de altura.

  - Trabaja con un compañero: Uno de ustedes dé las medidas de un cuadrado o de un rectángulo y el otro lo dibuja.

  - Traza 3 paralelogramos distintos que tengan 5 cm de base y 3 cm de altura.
  ¿Cómo son las áreas de los 3 paralelogramos?

  _____

  ¿Cuántos paralelogramos podrías trazar que tengan la misma área que los que dibujaste? _____

  2. Con la regla traza una línea, marca en ella dos puntos. La apertura de tu compás debe ser mayor a la distancia que hay entre los dos puntos que marcaste.

  - Apoya el compás en uno de los dos puntos y traza un círculo.

  - Sin cambiar la apertura del compás, traza otro círculo apoyándote en el otro punto. ¿Los círculos se cortan?_____

  - Marca los puntos donde se cortan los círculos.

  - De las configuraciones de la página siguiente, señala la que se parece a la que trazaste.

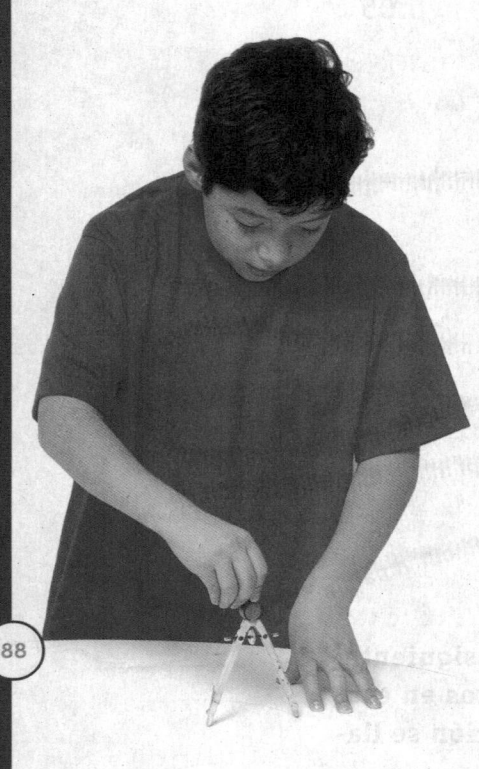

- En otra hoja repite el proceso anterior, pero ahora la apertura del compás va a ser igual a la distancia que hay entre los dos puntos marcados en la línea. Señala la configuración que se parece a la que trazaste.

- Una vez más repite lo que acabas de hacer, pero ahora la apertura del compás es menor que la distancia que hay entre los dos puntos marcados en la línea. Identifica la configuración que te resultó en las que están dibujadas.

- Encuentra la configuración en la que al unir con líneas los dos puntos azules y un rojo obtienes un triángulo equilátero. También encuentra la configuración donde hay un triángulo isósceles. Trázalos.

- En las configuraciones que dibujaste puedes trazar rombos usando los dos puntos marcados en la línea y los dos puntos donde se cortan los círculos. Traza los rombos y márcales la diagonal mayor y la diagonal menor en cada uno de ellos. ¿Qué ángulo se forma en el punto donde se cortan las diagonales?

_____

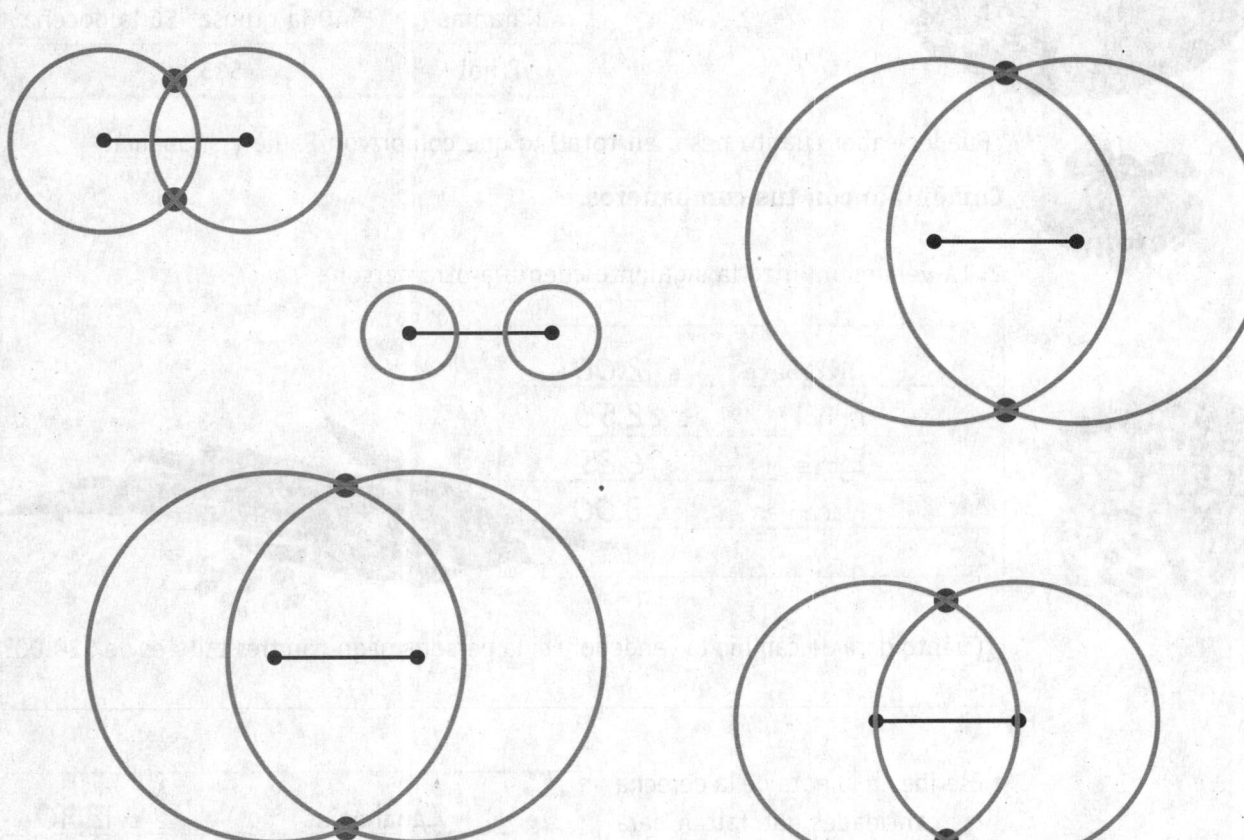

- Con regla y compás traza un triángulo escaleno cuyos lados midan 5 cm, 4 cm y 6 cm.

¿Cómo fue la apertura del compás respecto a la distancia que hay entre los dos puntos que se marcan en la primera línea que se traza? _____

LECCIÓN

39

Compras en el mercado

1. Paula acompañó a su mamá al mercado. Compraron frutas y verduras y gastaron $30.45. ¿Qué pudieron haber comprado?

Productos	Precios
Plátanos	$7.50 kg
Zanahorias	$6.20 kg
Cilantro	$0.50 el manojo
Ejotes	$12.50 kg
Naranjas	$40 la gruesa, $6 la docena
Frijol	$15 kg

¿Puedes saber cuánto pesa, en total, lo que compraron Paula y su mamá?

Coméntalo con tus compañeros.

2. La vendedora hizo la siguiente cuenta a otra persona.

Jitomate	$ 12.00
Frijol	$ 22.50
Ejote	$ 6.25
Naranjas	$ 3.00

¿Cuánto dará de cambio la vendedora si la persona pagó con tres billetes de $20.00?

• Escribe en la nota de la derecha las cantidades que faltan para obtener el total que se indica.

Compara con tus compañeros tus procedimientos y tus resultados.

Zanahorias	$ 12.40
Lechuga	
Ejotes	$ 18.75
1 manojo de cilantro	
Cebolla	$ 2.30
Total	$ 38.75

3. Fíjate cómo Pedro y Pablo hicieron la suma 12.306 + 1.705 + 15.55:

Pedro dijo: **Yo acomodé los números fijándome en sumar los milésimos con los milésimos, los centésimos con los centésimos, los décimos con los décimos, las unidades con las unidades.**

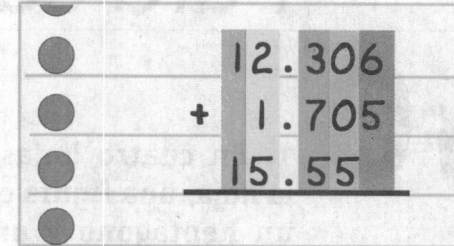

```
   12.306
 +  1.705
   15.55
```

Pablo le contestó: **Yo coloqué los números de manera que el punto decimal estuviera siempre en la misma dirección. Luego sumé como sumaba con los números sin punto.**

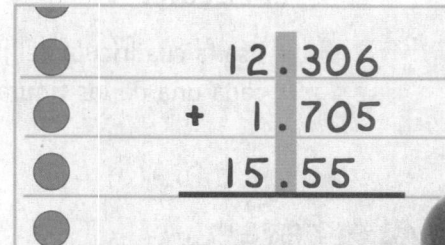

```
   12.306
 +  1.705
   15.55
```

 **Resuelve la suma que hicieron Pedro y Pablo, luego comenta con tus compañeros lo siguiente:**

¿Hay diferencia entre la forma de hacer las sumas que utilizaron Pedro y Pablo?

_____

Al hacer tus cuentas de la página anterior, ¿cuál procedimiento utilizaste?

_____

4. Escribe el resultado aproximado de las sumas y restas que hay en los rectángulos siguientes.

• Acomoda las cantidades y luego resuelve las operaciones por escrito.

• Utiliza la calculadora para comprobar los resultados.

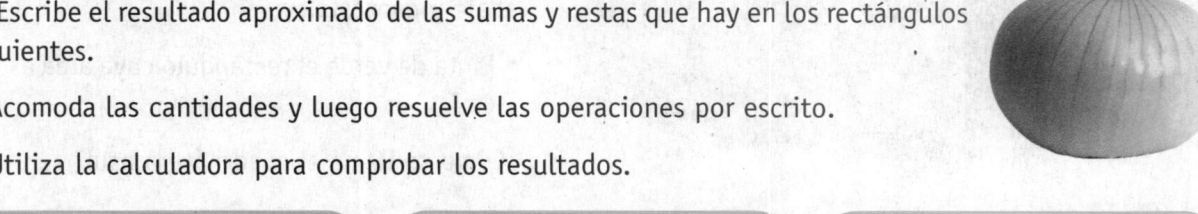

| 11.75 + 8.100 _____ | 2.10 + 0.9 _____ | 4.1 + 21.21 + 0.704 _____ |

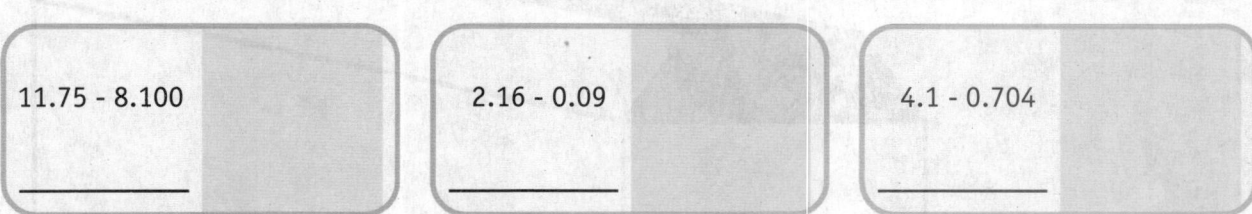

| 11.75 - 8.100 _____ | 2.16 - 0.09 _____ | 4.1 - 0.704 _____ |

 **Comenta con tus compañeros si tu aproximación fue buena; comenta también el procedimiento que seguiste para realizar las restas por escrito.**

5. Inventa un problema que se pueda resolver con una de las restas del ejercicio 4.

LECCIÓN

Para calcular el área

40

1. En cuatro hojas de papel delgado traza, ocupando casi toda la hoja, una figura con dos lados rectos y uno curvo, un cuadrilátero, un heptágono y una figura con un solo lado curvo, que no sea el círculo.

• Usa la cuadrícula del material recortable número 1 para calcular en cm² el área de cada una de las figuras que trazaste y escribe tus resultados en cada figura.

2. Divide el cuadrilátero y el heptágono que dibujaste, por medio de triángulos, cuadrados y rectángulos. Con tu regla toma las medidas que necesites para calcular sus áreas. Compara tus resultados con los que obtuviste en el ejercicio anterior. Si hay una pequeña diferencia, ¿a qué crees que se deba?

_____

_____

3. Fíjate en el dibujo del edificio que se muestra abajo y contesta.

• Pinta de verde el rectángulo cuya área es 200 cm².

¿Cómo se llama el cuadrilátero azul?

_____

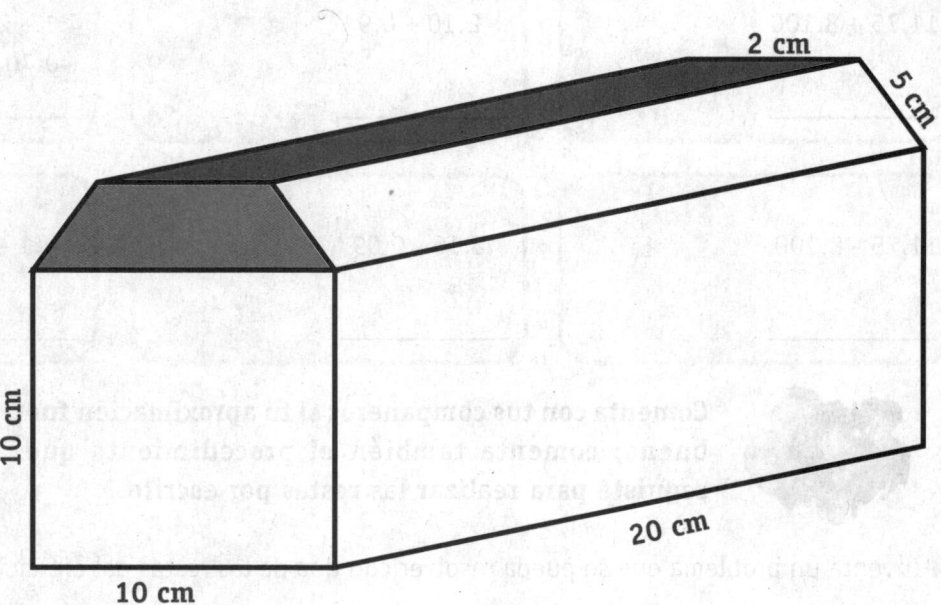

2 cm
5 cm
10 cm
20 cm
10 cm

Comenta con tu maestro y tus compañeros la siguiente información:

Los trapecios son cuadriláteros que tienen un par de lados paralelos.

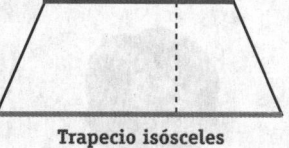
Trapecio isósceles

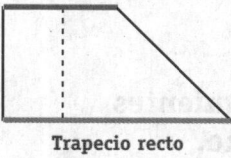
Trapecio recto

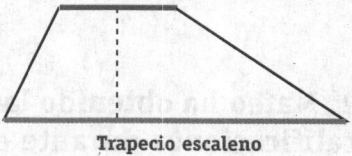
Trapecio escaleno

La medida de la línea perpendicular trazada entre los dos lados paralelos es la altura del trapecio.
La línea azul es la base mayor del trapecio.
La línea roja es la base menor del trapecio.
La base mayor y menor son los lados paralelos del trapecio.

4. En cartoncillo traza un trapecio con las medidas que se señalan en el dibujo del edificio. La altura del trapecio es de 3 cm. Fíjate cómo se usan la regla y las escuadras para trazar el trapecio isósceles.
¿Cuánto mide el área del trapecio que construiste? _____

La diferencia de la base mayor menos la menor se divide entre dos para centrar la base menor.

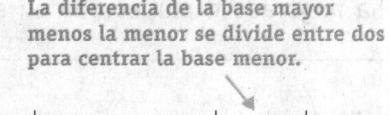

4 cm   2 cm   4 cm

Se traza y marca la altura: 3 cm

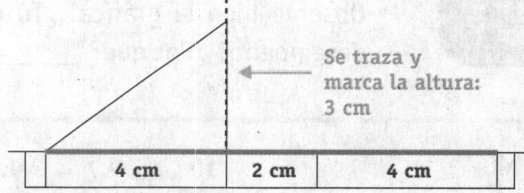

4 cm   2 cm   4 cm

Se traza la línea perpendicular a la altura y se marca la base menor: 2 cm

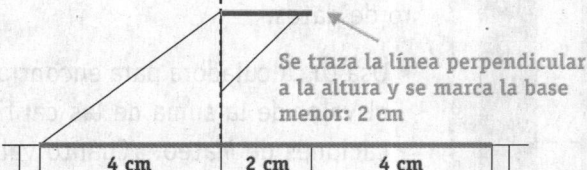

4 cm   2 cm   4 cm

Se unen los extremos de la base mayor con los de la base menor para cerrar el trapecio.

5. Usando la regla y las escuadras traza en cartoncillo los cuadriláteros que faltan para construir el edificio y decóralo. Calcula el área de cada una de las figuras.

6. De las tres maneras de calcular el área que vimos en esta lección, usa las que consideres más convenientes para calcular el área de esta figura.

LECCIÓN

41

Calificaciones y promedios

1. Mateo ha obtenido las siguientes calificaciones durante el año.

Mes	Calificación
Agosto	7.3
Septiembre	7.6
Octubre	8.5
Noviembre	10
Diciembre	9.7
Enero	9.7
Febrero	9.3

Con las calificaciones de Mateo se hizo la gráfica de barras que aparece a continuación.

• Observa bien la gráfica. ¿Tú crees que Mateo ha mejorado o empeorado en su desempeño? ¿Por qué? _____

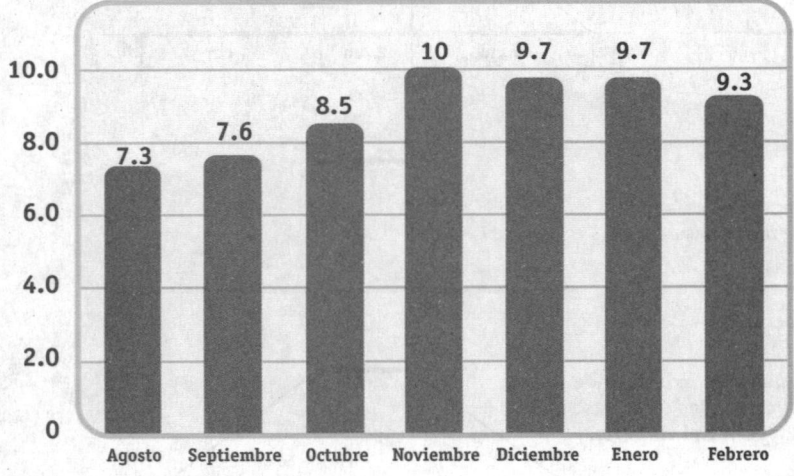

2. Recuerda que el *promedio* de un conjunto de datos se calcula sumando todos los valores y dividiendo el resultado entre el número de datos.

• Usa tu calculadora para encontrar el valor de la suma de las calificaciones de Mateo. ¿Cuánto vale esta suma?

_____

¿Cuántos datos tienes?

_____

¿Cuál es el promedio de calificaciones de Mateo en lo que va del año?

_____

3. Haz en tu cuaderno una tabla con tus calificaciones mensuales y traza una gráfica de barras con esos datos.

¿Cómo ha sido tu desempeño a lo largo del año?, ¿en qué meses tuviste mejores calificaciones? _____

• Calcula el promedio de tus calificaciones y compáralo con el de Mateo, ¿es más alto, más bajo o igual? _____

4. En un conjunto de datos ordenados, el dato que está en medio de la gráfica se llama la *mediana*.

- Ordena de menor a mayor las calificaciones de Mateo y haz una gráfica de barras con los datos ordenados. ¿Cuál es el dato que queda en la parte central?

_____

¿A qué mes pertenece? _____

¿Cuál es la mediana de las calificaciones de Mateo en el año? _____

Cuando se tiene un número par de datos, la mediana es el promedio de los dos datos que quedan al centro.

- Calcula la mediana de tus calificaciones, ¿es igual, mayor o menor que la de Mateo?_____

¿Cuántas calificaciones son mayores a la mediana? _____

¿Cuántas son menores? _____

¿Cuál puede ser una propiedad de la mediana de un conjunto de datos? _____

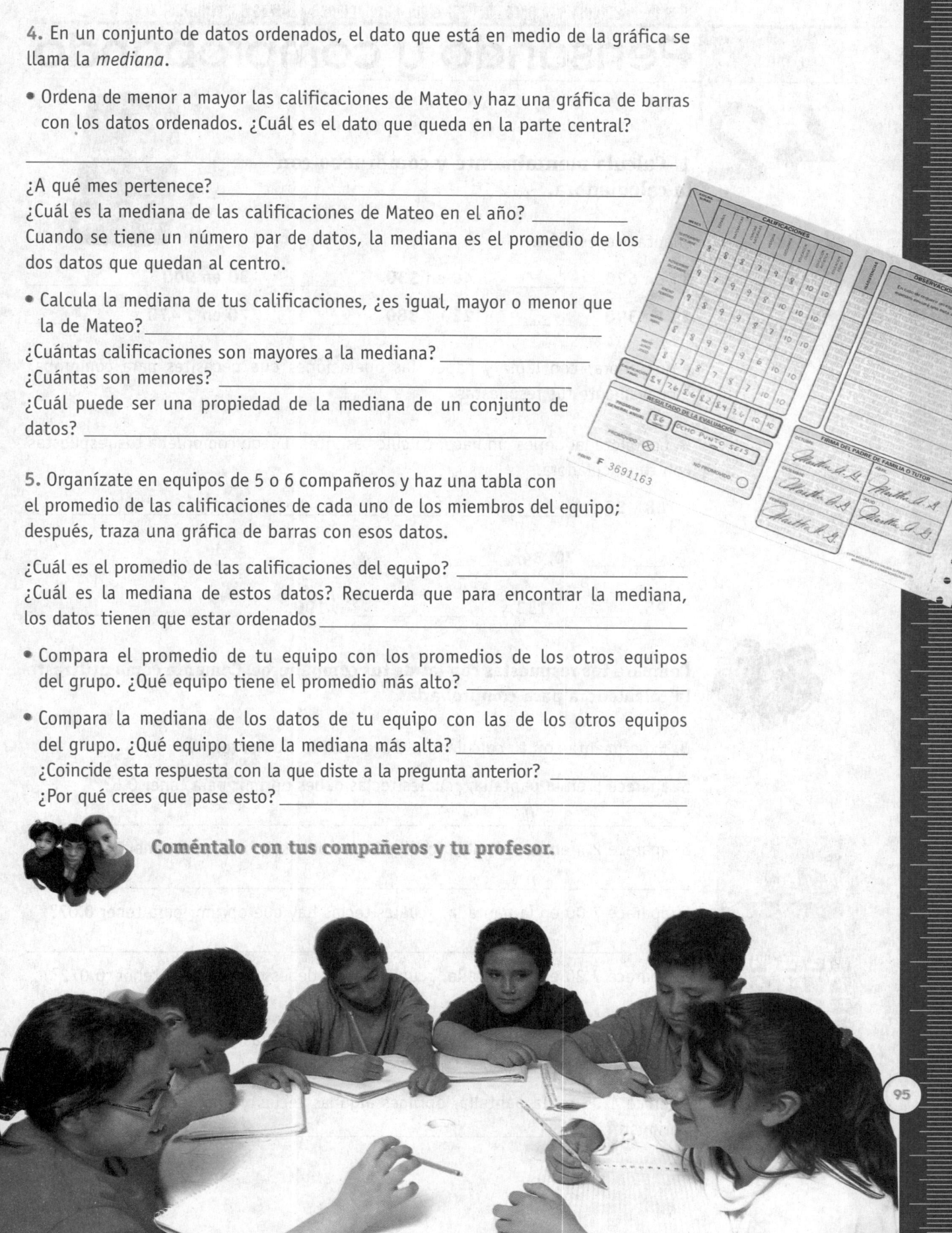

5. Organízate en equipos de 5 o 6 compañeros y haz una tabla con el promedio de las calificaciones de cada uno de los miembros del equipo; después, traza una gráfica de barras con esos datos.

¿Cuál es el promedio de las calificaciones del equipo? _____

¿Cuál es la mediana de estos datos? Recuerda que para encontrar la mediana, los datos tienen que estar ordenados_____

- Compara el promedio de tu equipo con los promedios de los otros equipos del grupo. ¿Qué equipo tiene el promedio más alto? _____

- Compara la mediana de los datos de tu equipo con las de los otros equipos del grupo. ¿Qué equipo tiene la mediana más alta?_____

¿Coincide esta respuesta con la que diste a la pregunta anterior? _____

¿Por qué crees que pase esto?_____

Coméntalo con tus compañeros y tu profesor.

95

LECCIÓN

42

Pensando y comprobando

1. Calcula mentalmente y comprueba con la calculadora.

Cuántas veces cabe....

31 en **620** _____   40 en **330** _____   30 en **900** _____

13 en **390** _____   22 en **880** _____   70 en **1 470** _____

• Haz ahora, con lápiz y papel, las operaciones que necesites para comprobar nuevamente tus respuestas.

2. Completa las series sin hacer cálculos escritos. Luego comprueba tus respuestas con tu calculadora.

68, 85,_____, _____, _____, 153, _____, _____.

_____, 70, 84, _____, _____, _____, _____, _____, _____.

95, _____, 133, _____, _____, 190,_____ , _____, _____.

Compara tus respuestas con las de tus compañeros. Comenta cómo utilizaste la calculadora para comprobarlas.

3. Experimenta con tu calculadora y averigua lo siguiente:

Si aparece 5 en la pantalla, ¿cuáles teclas debes oprimir para tener 0.5?

_____

Si aparece 2.4 en la pantalla, ¿cuáles teclas debes oprimir para tener 0.24?

_____

Si aparece 7.00 en la pantalla, ¿cuáles teclas hay que oprimir para tener 0.07?

_____

Si aparece 7.20 en la pantalla, ¿cuáles teclas debes oprimir para tener 0.072?

_____

Si aparece 1.80 en la pantalla, oprimes algunas teclas y aparece 18, ¿qué teclas oprimiste? _____

Aparece 1.05 en la pantalla, oprimes algunas teclas y aparece 105, ¿qué teclas oprimiste? _____

4. Completa la siguiente tabla.

En la pantalla de tu calculadora aparece	Tecleas	Obtienes
30		0.30
110		0.11
15.8		0.0158
0.6		60
0.90		900
40.25		4 025

¿Puedes sacar alguna conclusión a partir de los ejercicios 3 y 4 de esta lección?

Coméntalo con tus compañeros y tu maestro. Si llegas a alguna conclusión, anótala aquí.

_____

_____

5. Utiliza la calculadora para resolver, luego comprueba usando lápiz y papel:

Tienes 40 centenas
- Divides entre 100
- Le sumas 51 decenas
- Le restas 510
¿Qué número resultó?

_____

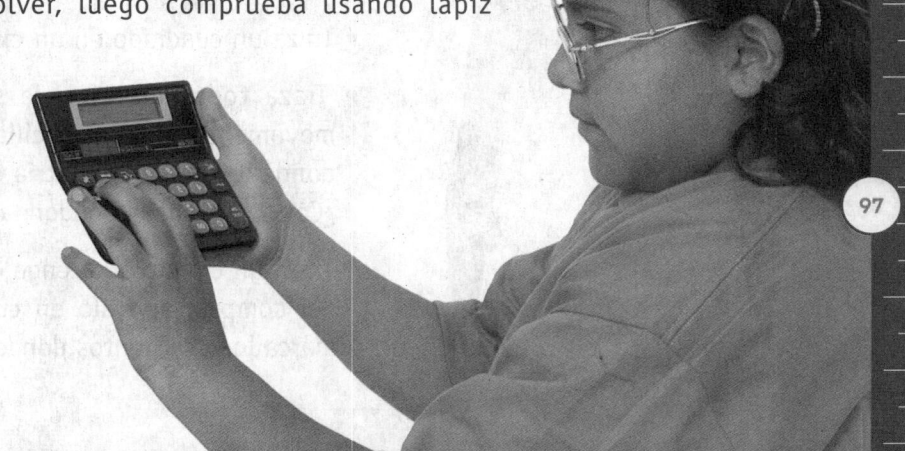

LECCIÓN

Los polígonos regulares

43

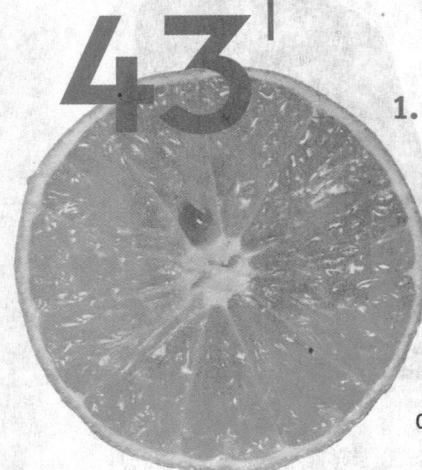

1. **En una hoja blanca traza con tu compás una circunferencia.**

¿Cómo se llama la superificie limitada por la circunferencia?

_____

El punto donde apoyaste el compás es el centro de la figura.

• Traza cinco líneas rectas que vayan del centro a cualquier punto de la circunferencia. ¿Cuánto mide cada uno de estos segmentos?

_____

La línea que une al centro con cualquier punto de la circunferencia se llama radio del círculo.

¿Crees que si trazas otro radio en tu círculo medirá lo mismo? _____

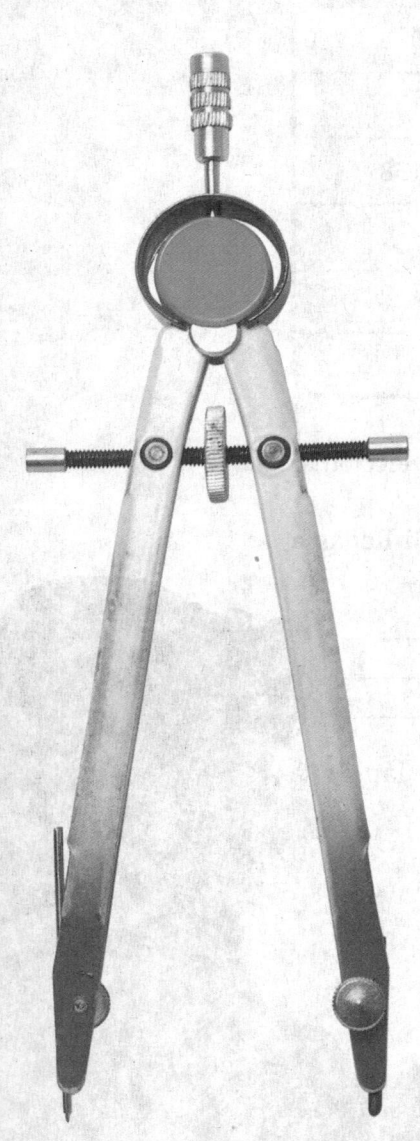

• Traza en tu círculo una línea que una a dos puntos de la circunferencia pero que pase por el centro. ¿Cuánto mide esta línea? _____

A esta línea se le llama diámetro del círculo.

¿Qué relación encuentras entre la medida del radio y la medida del diámetro? _____

• En tu círculo marca el centro, un radio y un diámetro.

2. Traza un círculo que tenga de diámetro 6 cm. ¿Cuántos centímetros tienes que abrir tu compás? _____

• Traza en ese círculo dos diámetros perpendiculares.

• Une con líneas los puntos donde los diámetros cortan a la circunferencia. ¿Cómo se llama el cuadrilátero que sale?_____

• Traza un cuadrado en un círculo que tenga 5 cm de radio.

• Traza todos los ejes de simetría del cuadrado. Siguiendo el movimiento de las manecillas del reloj, une con tu regla los puntos donde los ejes de simetría cortan a la circunferencia. ¿Cómo se llama el polígono que salió?_____

• Traza un círculo que tenga 4 cm de radio. Sin cambiar la apertura del compás, apóyalo en cualquier punto de la circunferencia y marca los dos puntos donde el compás corta a la circunferencia.

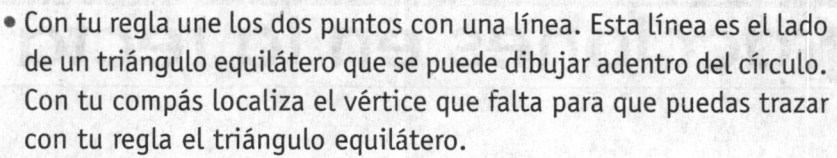

- Con tu regla une los dos puntos con una línea. Esta línea es el lado de un triángulo equilátero que se puede dibujar adentro del círculo. Con tu compás localiza el vértice que falta para que puedas trazar con tu regla el triángulo equilátero.

- Traza un triángulo equilátero en un círculo que tenga 5 cm de radio.

- Traza todos los ejes de simetría del triángulo. ¿Qué puntos debes unir para trazar un hexágono? _____ ¡Trázalo!

 **Comenta con tu maestro y tus compañeros la siguiente información:**

Los polígonos regulares tienen todos sus lados iguales y todos sus ángulos iguales.

3. Encuentra el punto donde debe apoyarse el compás para trazar la circunferencia que pasa por todos los vértices del heptágono regular. Traza la circunferencia.

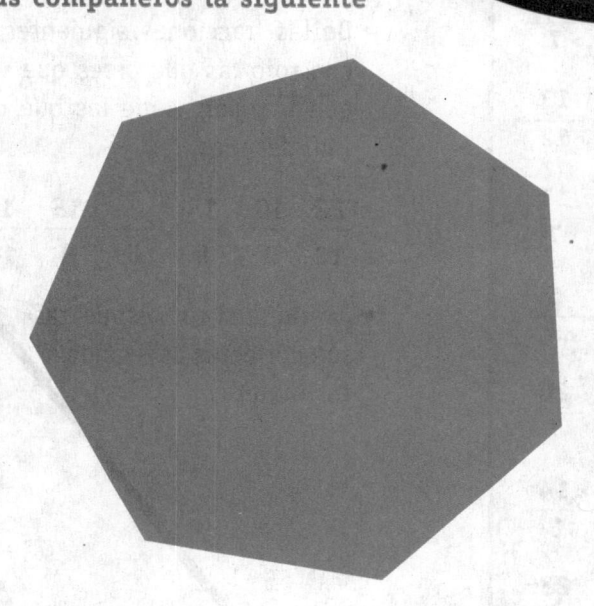

- ¿Qué puedes hacer para trazar sobre el heptágono un polígono regular de catorce lados? Hazlo.

4. De los polígonos dibujados, sólo uno es regular. ¿Cuál es? _____

¿Por qué los otros polígonos no son regulares? _____

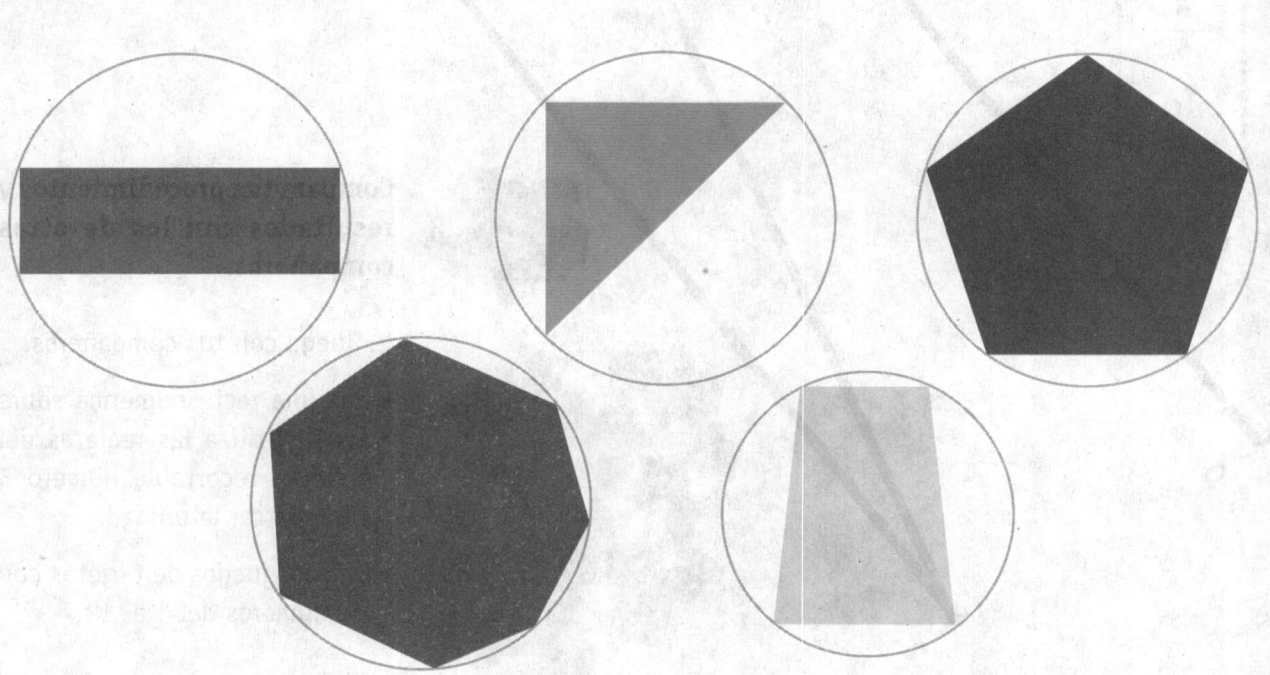

Las fracciones en la recta

44

$\dfrac{1}{12}$

$\dfrac{4}{7}$

$\dfrac{13}{12}$

$\dfrac{11}{7}$

$\dfrac{6}{8}$

$\dfrac{20}{7}$

$\dfrac{14}{8}$

$\dfrac{23}{8}$

$\dfrac{6}{6}$

$\dfrac{16}{6}$

1. Para realizar este ejercicio, reúnete con un compañero. Ubique cada uno en la siguiente línea las fracciones que aparecen en el recuadro de la izquierda.

• Con las regletas del material recortable número 5 comprueben si ubicaron correctamente las fracciones.

• De las fracciones siguientes, subraya con rojo las que crees que van antes que $\dfrac{11}{7}$ y con verde las que crees que irán después.

$\dfrac{22}{12}$ $\quad\dfrac{10}{9}$ $\quad\dfrac{15}{8}$ $\quad\dfrac{7}{6}$ $\quad\dfrac{15}{9}$ $\quad\dfrac{18}{10}$

• Averigua si tus respuestas son correctas utilizando tus regletas.

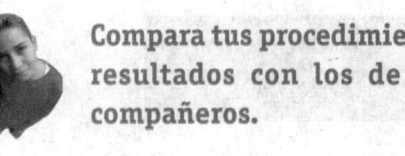

Compara tus procedimientos y resultados con los de otros compañeros.

2. Juega con tus compañeros.

• Haz una recta numérica sobre papel. Utiliza las regletas del material recortable número 5 para marcar la unidad.

• Haz dos juegos de tarjetas con los números del 1 al 12.

• Por turnos, saca al azar dos tarjetas y con ellas forma fracciones. La primera será el numerador, la segunda el denominador. Por ejemplo, si sale el 3 y luego el 4, se formará $\frac{3}{4}$.

• El que sacó las tarjetas ubica la fracción que se haya formado sobre la recta dibujada.

• Cuando cada quien haya anotado 5 fracciones, comprueba la ubicación con las regletas.

• Gana el que haya tenido más respuestas correctas.

3. Observa las siguientes parejas de fracciones. En cada caso, encierra en un círculo la menor.

$\frac{3}{4}$	o	$\frac{3}{5}$	$\frac{8}{7}$	u	$\frac{8}{9}$	$\frac{11}{8}$	u	$\frac{11}{7}$
$\frac{12}{15}$	o	$\frac{15}{12}$	$\frac{4}{6}$	o	$\frac{6}{4}$	$\frac{9}{8}$	u	$\frac{8}{9}$
$\frac{2}{4}$	o	$\frac{3}{5}$	$\frac{7}{9}$	o	$\frac{6}{7}$	$\frac{5}{8}$	o	$\frac{6}{9}$

Comenta con tu maestro y tus compañeros en qué te fijaste para obtener las respuestas; utiliza tus regletas para averiguar si son correctas.

4. Anota, en la línea de la página anterior, 3 fracciones que se ubiquen entre $\frac{1}{2}$ y $\frac{3}{4}$.

¿Cuáles fracciones anotaste? _____ ¿Hay otras fracciones que pudieras haber anotado? _____
¿Tus compañeros anotaron las mismas fracciones que tú? _____

• Anota ahora sobre la línea cuatro fracciones que puedan ir entre $\frac{4}{5}$ y $\frac{5}{5}$. Puedes ayudarte con tus *regletas-unidad*.
¿Cuáles fueron esas fracciones?
_____

¿Las que tus compañeros anotaron son las mismas o son diferentes? Si son diferentes, escríbelas aquí.

_____
_____
_____

¿Podrías encontrar otras fracciones para anotar entre $\frac{1}{2}$ y $\frac{3}{4}$?

Comenta tus respuestas con tu maestro y tus compañeros.

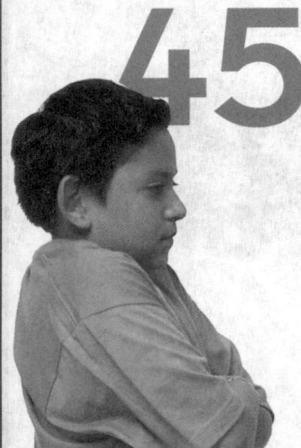

LECCIÓN 45

¿Quién lava los trastes?

1. Elena y su hermano Andrés deben decidir quién lava los trastes de la comida. Elena sugiere que lo decidan tirando un dado con las caras numeradas del 1 al 6. Si sale 3 o más, Andrés lava los trastes; si sale menos de 3, los lava Elena.

¿Crees que el trato sea justo? _____
¿Por qué? _____

¿Es más probable que lave los trastes Elena, o que los lave Andrés? _____
¿Por qué? _____

Coméntalo con tus compañeros y tu profesor.

2. Con un dado puedes simular lo que podría pasar cuando Elena y Andrés deciden quién lava los trastes. Tira 30 veces el dado y registra tus resultados poniendo marcas en una tabla de frecuencias, como la siguiente:

Resultado	Marcas	Frecuencias
3 o más		
menos de 3		

De acuerdo con los resultados de tu experimento, ¿quién lavará más veces los trastes? _____

¿Era ése el resultado que esperabas?_____ ¿Por qué? _____

• Compara tu tabla de frecuencias con las de tus compañeros, ¿son iguales?
_____ ¿Por qué? _____

3. Como el dado tiene seis caras, hay seis posibles resultados, ¿cuáles son?_____
_____

¿Con cuáles de estos resultados Elena lava los trastes? _____

¿Con cuáles de los resultados lava los trastes Andrés? _____

¿Quién tiene más oportunidades? _____

¿Crees que Andrés debe aceptar el trato? _____

¿Cuál puede ser un trato más justo? _____

4. Recorta 11 pedazos iguales de papel y escribe en cada uno de ellos una de las letras de la palabra **M A T E M Á T I C A S.** Dóblalos y revuélvelos hasta que no sepas cuál es cuál.

Si escoges uno de los papelitos sin ver, ¿qué letra es más probable que saques?
_____ ¿Por qué? _____

¿Qué letras tendrán la misma probabilidad de salir?
_____ ¿Por qué? _____

5. Haz el experimento 30 veces y anota tus resultados en una tabla de frecuencias como la que sigue. En cada ocasión, debes doblar de nuevo el papel que elegiste y reintegrarlo al conjunto.

Letra	Marcas	Frecuencia
M		
A		
T		
E		
I		
C		
S		

¿Qué letra fue la más frecuente? _____
¿Era lo que esperabas? _____ ¿Por qué? _____

• Compara tu tabla de frecuencias con las de tus compañeros, ¿cuál fue la letra más frecuente para cada quien? _____

  ¿Para qué letras tuvieron los mismos resultados? _____
  ¿Por qué los resultados no son siempre iguales? _____
  ¿Qué pasaría si repitieran el experimento 50 veces? _____

6. La palabra **M A T E M Á T I C A S** tiene 11 letras.

¿Cuántas veces se repite la **A**? _____ ¿Cuántas la **M**? _____
¿Cuántas la **T**? _____ ¿Y el resto de las letras? _____ .
_____

• ¿Qué conclusiones puedes sacar respecto a la probabilidad de que salga una A en el experimento? _____

Discútelo con tus compañeros y tu profesor.

LECCIÓN **El patio**

46

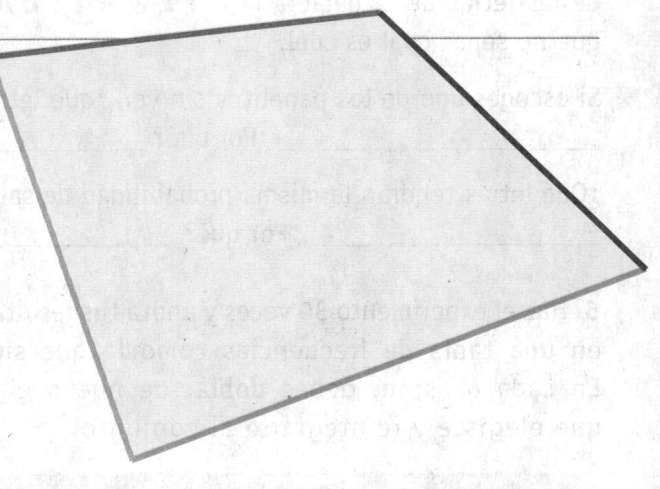

1. Para calcular el perímetro del patio de su escuela, Julia y Ana usaron tres unidades de medida: decámetros, metros y decímetros. Registraron sus resultados en una tabla.

Lado	Decámetro (dam)	Metro (m)	Decímetro (dm)
Amarillo		53	12
Rojo		47	5
Azul	3	3	24
Verde	4	24	15
Perímetro	7	127	56

El maestro de Julia y Ana les dijo que el perímetro estaba bien calculado, pero que quería el resultado en decámetros.

• Encierra en un círculo la medida que tú creas que dice cuántos decámetros completos caben en el perímetro.

2.026 dam   20.26 dam   202.6 dam

Julia sabe que:

> 10 decímetros = 1 metro
> 10 metros = 1 decámetro

¿Estás de acuerdo con Julia? ¿Por qué?

_____
_____
_____
_____
_____

Perímetro original

dam	m	dm
7	127	56

Perímetro en decámetros

dam	m	dm
20	2	6

Cambio de decímetros por metros

dam	m	dm
7	127 + 5 = 132	6

Cambio de metros por decámetros

dam	m	dm
7 + 13	2	6

Ana y Julia usaron las relaciones entre los decímetros, los metros y los decámetros para transformar los datos del perímetro que habían obtenido.

- Comenta con un compañero lo que hicieron Julia y Ana para sacar el perímetro en decámetros.

Julia sabe que: **El punto decimal sirve para escribir magnitudes sin usar la tabla. También se usa para separar del lado izquierdo la cantidad de veces que cabe la unidad completa de lo que se mide, y del lado derecho la parte que no alcanza para completar la unidad.**

Comenta con tu maestro y tus compañeros lo que Julia sabe acerca del uso del punto decimal.

Julia escribió el resultado del perímetro de la siguiente manera: *20.26 dam*
¿Es éste el resultado que tú señalaste en la página anterior?_____
¿Por qué crees que Julia anotó *dam* después de la cantidad?_____
Ana dice que en el perímetro del patio cabe *20 veces un decámetro y 26 centésimas partes de un decámetro*. ¿Estás de acuerdo? _____
¿Cuánto mide la centésima parte de un decámetro?_____
¿Cuánto mide la décima parte de un decámetro?_____
Julia recuerda que 10 decámetros es lo mismo que un hectómetro. Si la unidad de medida es el hectómetro, ¿cómo se escribe el perímetro del patio sin usar la tabla?
_____

Si la unidad de medida es el metro, ¿cómo se escribe el perímetro?_____
¿Cómo se escribe el perímetro en decímetros?_____

2. Con tu compañero marca en un mecate un decámetro, un metro y un decímetro.

- Con las tres unidades mide el perímetro de diferentes superficies de la escuela, como la del salón o la del patio. Utiliza las tres unidades para medir cada lado de los polígonos.

- Registra tus resultados en una tabla como la de Julia y Ana. Escribe los resultados usando distintas unidades y el punto decimal.

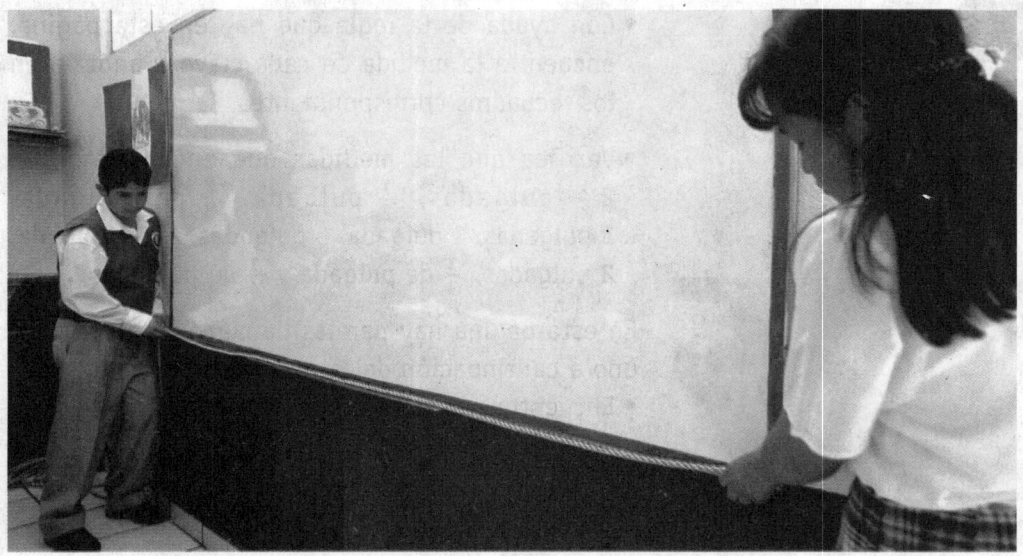

Tornillos y clavos

47

1. ¿Alguna vez has tenido que comprar clavos y tornillos? Recordarás que debes decir la medida en pulgadas. ¿A cuántos centímetros equivale, aproximadamente, una pulgada? _____

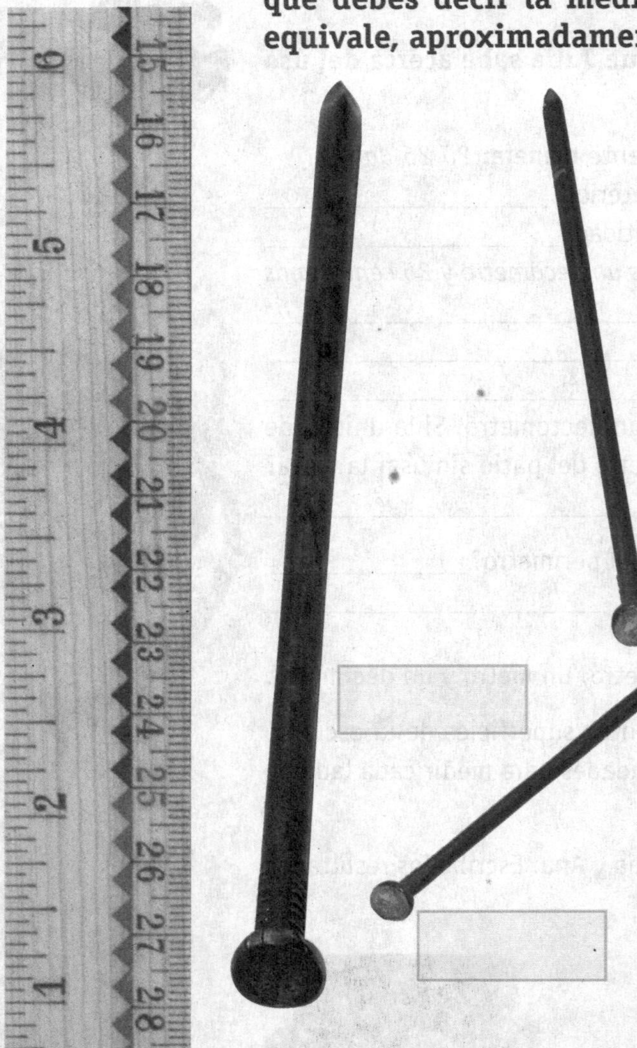

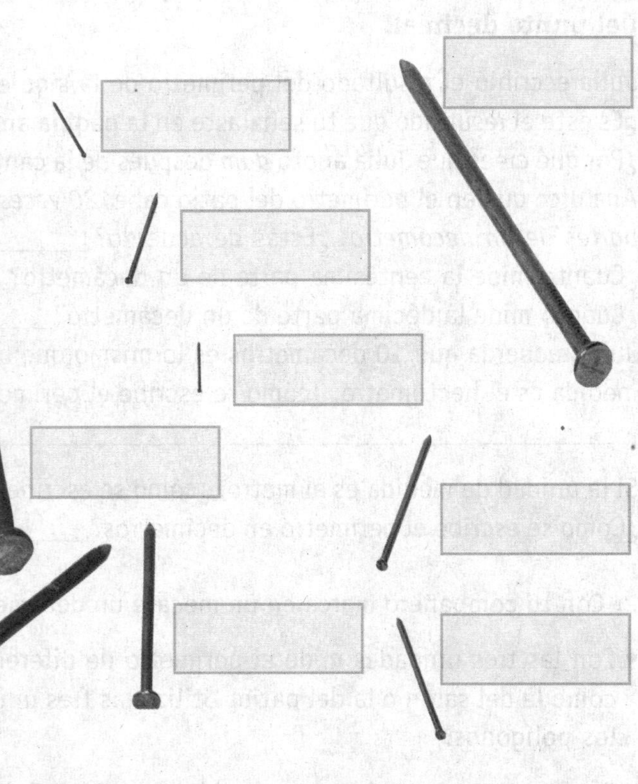

- Utiliza la regla graduada en centímetros para comprobar tu respuesta.

- Con ayuda de la regla que hay en esta página, encuentra la medida de cada clavo y anótala en los recuadros correspondientes.

- Verifica que las medidas que encontraste son $2\frac{1}{2}$ pulgadas, $\frac{1}{2}$ pulgada, $\frac{2}{3}$ de pulgada, 3 pulgadas, 1 pulgada, 5 pulgadas, $\frac{3}{4}$ de pulgada, 2 pulgadas, $\frac{1}{3}$ de pulgada y $\frac{1}{4}$ de pulgada.

En esta página hay parejas de clavos que, puestos uno a continuación del otro, miden una pulgada.
- Encuentra esas parejas y escríbelas a continuación.

_____
_____
_____

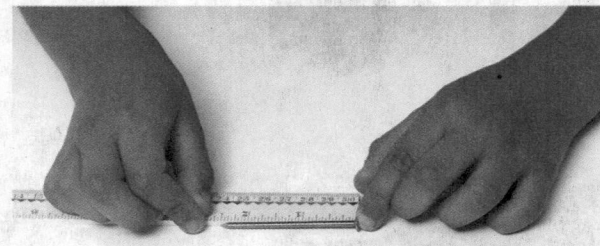

106

Hay otros dos clavos que unidos cabo a cabo miden $\frac{3}{4}$ de pulgada. ¿Cuáles son las medidas de estos dos clavos? _____

_____

• La medida de dos clavos que se unen cabo a cabo se puede calcular mediante una suma de fracciones. Utiliza tu regla, o suma, para calcular las siguientes medidas.

$\frac{3}{4}$	+	$\frac{1}{2}$	=		$\frac{1}{3}$	+	$\frac{2}{3}$	=
$\frac{1}{2}$	+	$\frac{1}{3}$	=		$\frac{1}{2}$	+	$\frac{2}{3}$	=
$\frac{3}{4}$	+	$\frac{1}{3}$	=		$\frac{3}{4}$	+	$\frac{2}{3}$	=
$2\frac{1}{2}$	+		= 3		$2\frac{1}{2}$	+		= 5

¿Cuáles de las sumas que resolviste dan como resultado una medida igual a una pulgada? _____

¿En cuáles el resultado es menor que una pulgada? _____
_____

¿En cuáles el resultado es mayor que una pulgada? _____
_____

LECCIÓN

Con el mismo sabor

48

1. En la escuela de Juan están preparando agua de distintos sabores para una kermés.

Para hacer naranjada, en la olla color crema se pusieron 40 naranjas y 4 tazas de azúcar. ¿Cuántas naranjas y cuánta azúcar deberán poner en la olla color azul para que la naranjada tenga el mismo sabor que la de la olla color crema?

_____

_____

Se tienen 56 limones para hacer dos ollas de agua fresca. A una le caben 4 litros de agua, a la otra le caben 3. ¿Cuántos limones deberán ponerse en cada olla para que toda el agua tenga el mismo sabor?

_____

2. Paula y sus compañeros preparan jarabe de tamarindo para los raspados de la kermés.

En la botella de tapa verde pusieron 3 tazas de agua y 5 cucharadas de concentrado de jarabe.

En la botella de tapa naranja pusieron 8 tazas de agua y 10 cucharadas de concentrado de jarabe.

En la botella de tapa roja pusieron 6 tazas de agua y 8 cucharadas de concentrado de jarabe.

Lupe dice que el jarabe que tiene más sabor es el de la botella de tapa naranja. Pepe dice que el que tiene más sabor es el de la botella de tapa verde. ¿Quién tiene razón? _____

 ¿Por qué? _____

Coméntalo con tus compañeros.

3. Pedro y sus amigos preparan bolsas de dulces para la kermés. Escoge, de entre las etiquetas siguientes, los precios que deben llevar las bolsas que prepararon Pedro y sus amigos y escríbelos en las etiquetas que correspondan. Fíjate bien, porque van a sobrar precios.

$ 6.00 $ 6.50 $ 5.00 $ 8.00 $ 10.00

10 dulces

12 dulces

20 dulces

15 dulces $ 7.50

Compara tus respuestas con las de tus compañeros.

LECCIÓN

El grosor de la madera

49

**1. El grosor de la madera también suele medirse en pulgadas o en pies.
1 pie = 12 pulgadas.**

Si una pulgada equivale a 2.54 cm, ¿a cuántos centímetros equivale un pie?

_____

• Utiliza esta regla para comprobar tu respuesta.

¿Cuántas pulgadas son $\frac{1}{2}$ pie?

_____

¿Y $\frac{1}{4}$ de pie?

_____

¿Y $\frac{1}{3}$ de pie?

_____

Pablo dice que $\frac{2}{3}$ de pie son 9 pulgadas. ¿Tiene razón Pablo? _____
¿Por qué? _____

Juan dice que $\frac{1}{2}$ pie + $\frac{1}{4}$ de pie = $\frac{2}{6}$ de pie; Pablo dice que $\frac{1}{2}$ pie + $\frac{1}{4}$ de pie = $\frac{3}{4}$ de pie. ¿Quién tiene razón? _____
¿Por qué? _____

• Corta una tira de papel que mida $\frac{1}{2}$ pie + $\frac{1}{4}$ de pie y mídela con la regla que hay en esta página. ¿Cuánto mide la tira completa, en pies? _____
¿Cuánto mide la tira completa, en pulgadas? _____

2. Laura quiere clavar un cuadro de madera en una pared. El grosor de la madera mide $\frac{3}{4}$ de pulgada y los clavos miden $1\frac{1}{4}$ pulgadas. ¿Qué tanto del clavo se introduce en la pared?

_____

• Utiliza la regla de esta página para comprobar tu resultado.

• Completa los datos que hacen falta en la siguiente tabla.

Medida de los clavos en pulgadas	Grosor de la madera en pulgadas	Parte que se introduce en la pared en pulgadas
$1\frac{1}{2}$	$\frac{3}{4}$	
$2\frac{1}{2}$	$\frac{3}{4}$	
$1\frac{2}{3}$	$\frac{2}{3}$	
$\frac{2}{3}$	$\frac{2}{6}$	
$\frac{3}{4}$	$\frac{1}{2}$	
	$1\frac{1}{8}$	$\frac{2}{8}$
	$1\frac{1}{8}$	$\frac{1}{4}$
$3\frac{1}{2}$		

Julián dice que $1\frac{1}{4}$ pulgadas es equivalente a $\frac{5}{4}$ de pulgada. ¿Crees que tiene razón Julián? _____ ¿Por qué? _____

_____

Un número formado por un entero y una fracción, por ejemplo $1\frac{1}{4}$, se llama número mixto. A veces conviene expresar los números mixtos como fracciones. Así, $1\frac{1}{4} = \frac{5}{4}$

• Juega con un compañero. Uno dice un número mixto y el otro dice la fracción que le corresponde. Entre los dos comprueben que el resultado sea correcto.

LECCIÓN

Área de figuras semejantes

50

1. Con tu juego de geometría traza en hojas blancas los cuadriláteros que se señalan a continuación. Fíjate en las magnitudes de sus lados. Después, toma las medidas que necesites para calcular su área. Registra tus resultados en las tablas.

Cuadrados	Lado	Área
Rojo	2 cm	
Azul	4 cm	
Amarillo	6 cm	
Verde	8 cm	

Rectángulos	Lado	Lado	Área
Rojo	2 cm	4 cm	
Azul	4 cm	8 cm	
Amarillo	6 cm	12 cm	
Verde	8 cm	16 cm	

• Con los datos que acabas de registrar, contesta las siguientes preguntas.

Los lados del cuadrado azul son dos veces más grandes que los lados del cuadrado rojo. El área del cuadrado azul es cuatro veces más grande que el área del cuadrado rojo. ¿Estás de acuerdo? _____
¿Por qué? _____

Cuántas veces son más grandes los lados del rectángulo verde respecto a los lados del rectángulo azul? _____
¿Cuántas veces es más grande el área del rectángulo verde que la del rectángulo azul? _____
¿El área del cuadrado amarillo es 3 X 3 veces más grande que el área del cuadrado rojo? _____
¿Cuántas veces son más grandes los lados del cuadrado amarillo que los lados del cuadrado rojo? _____
¿Por qué crees que el área del rectángulo amarillo es 3 X 3 veces más grande que el área del rectángulo rojo? _____

2. Comenta con tu maestro y tus compañeros la siguiente información:

Cuando todas las magnitudes de un polígono se multiplican por un número, por ejemplo 3, y se conservan los ángulos del polígono, se obtiene un polígono semejante al polígono original. Así, el área del nuevo polígono es 3 X 3 veces mayor que el área del polígono original.

• Para que verifiques la información que acabas de leer, dibuja en tu cuaderno un cuadrado en el que sus lados sean cinco veces más grandes que los del cuadrado rojo. ¿Cuánto mide el área del nuevo cuadrado? _____
Si es 5 X 5 veces más grande ¿cuánto miden sus respectivos lados? _____

• Verifica que aunque los lados del rombo verde son tres veces más grandes que los del cuadrado rojo, no es cierto que el área del rombo sea 3 X 3 veces más grande que la del cuadrado.

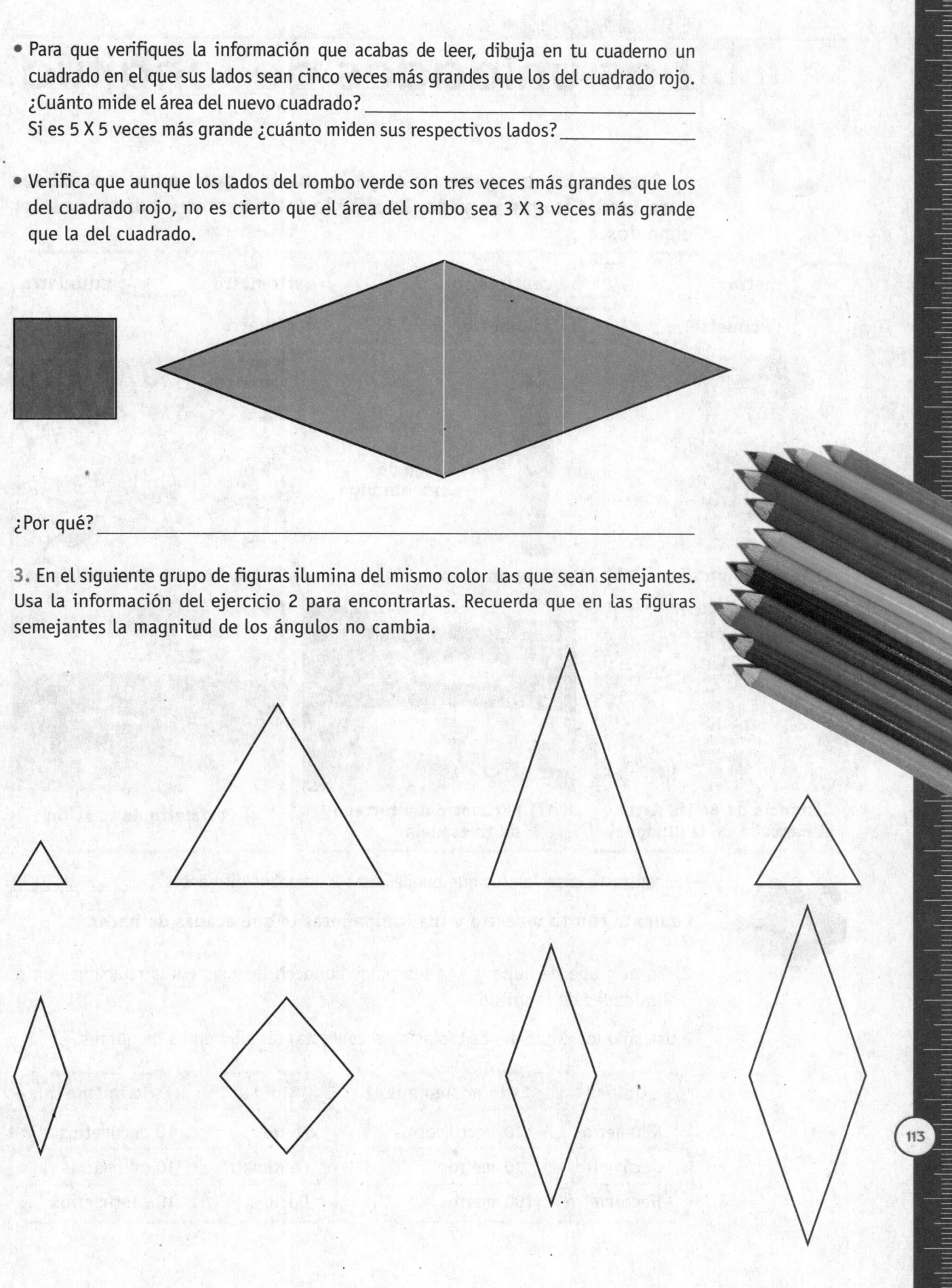

¿Por qué? _____

3. En el siguiente grupo de figuras ilumina del mismo color las que sean semejantes. Usa la información del ejercicio 2 para encontrarlas. Recuerda que en las figuras semejantes la magnitud de los ángulos no cambia.

LECCIÓN

51

Las unidades de longitud

1. Observa las imágenes y elige la unidad que conviene utilizar para medir lo que se pide. Escribe la letra correspondiente en los espacios.

( ) metro   ( ) centímetro   ( ) hectómetro   ( ) milímetro

( ) decímetro   ( ) kilómetro   ( ) decámetro

LOS TRES CORAZONES

c) Largo de una hormiga

CIUDAD DE MONTERREY

a) Largo de un libro    **b) Altura de un niño**   **d) Distancia entre dos municipios**

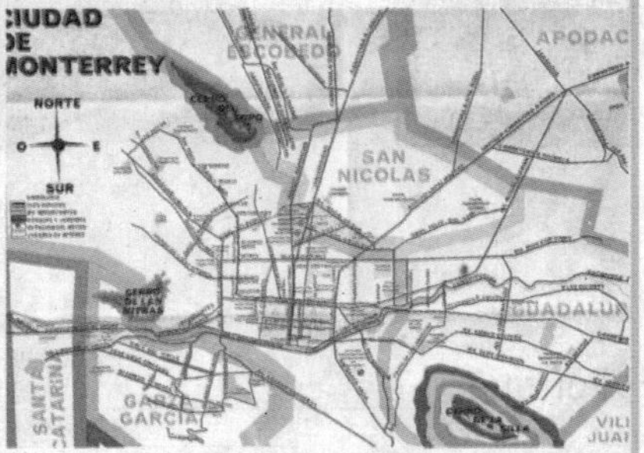

Bellas Artes

Ciudadela

e) Distancia de Bellas Artes al mercado de la Ciudadela    **f) Perímetro del terreno de tu escuela**    **g) Perímetro de tu salón**

¿Encontraste casos en los que puedes usar 2 unidades diferentes? _____

Comenta con tu maestro y tus compañeros lo que acabas de hacer.

2. En el grupo de Julia y Ana los niños conocen las siguientes relaciones entre las unidades de longitud.

• Usa sólo los datos de las tablas para contestar las siguientes preguntas.

Unidad	Es lo mismo que
Kilómetro	10 hectómetros
Decámetro	10 metros
Hectómetro	100 metros

Unidad	Es lo mismo que
Metro	10 decímetros
Centímetro	10 milímetros
Decímetro	10 centímetros

¿Cuántos metros tiene un kilómetro? _____

¿Cuántos centímetros miden lo mismo que un metro? _____

¿Cuántos decámetros dan la misma longitud que un hectómetro? _____

• En el grupo de Ana y Julia se dieron cuenta que 10 unidades de un mismo tipo dan la misma longitud que la unidad inmediatamente mayor. Los niños ordenaron las unidades de mayor a menor, pero les faltaron algunas. Con lo que tú ya sabes sobre las relaciones entre las unidades, ayúdales a completar su tabla.

		dam		dm	cm

¿Por qué el metro está entre los decámetros y los decímetros? _____

¿Por qué los hectómetros están pegados a la izquierda de los decámetros?

_____

¿En qué lugar colocaste a los milímetros? _____

¿Por qué? _____

3. Los niños del grupo de Ana y Julia registraron la magnitud de distintas cosas e hicieron un registro como el que se muestra a continuación.

	km	hm	dam	m	dm	cm	mm
Largo de tarima						635	
Perímetro del salón				63	5		
Distancia de la escuela al mercado			63	5			
Altura del bote de basura							635
Distancia de la escuela al jardín		63	5				

• Para contestar las siguientes preguntas haz en tu cuaderno una tabla. Copia la cantidad que necesites y transfórmala a las unidades que se piden.

De las cosas que midieron los niños, ¿cuál mide 6.35 hm? _____

¿Cómo lo supiste? Contesta en tu cuaderno.

De las longitudes que se midieron, ¿cuál es igual a 6.305 km? _____

En tu cuaderno explica tu respuesta.

En el perímetro del salón, ¿cuántos decámetros completos caben? _____

En el largo de la tarima, ¿cuántos metros completos caben? _____

LECCIÓN

El tamaño real

52

1. En la página 50 de tu libro de *Ciencias Naturales* se plantea el siguiente problema:

¿Cuál es el tamaño real del perro, el niño, el árbol, la mariposa y la puerta?
La escala del dibujo es 1 cm: 50 cm.

De acuerdo con la escala, ¿a cuántos centímetros del tamaño real equivale un centímetro del dibujo?_____

• Mide con tu regla la altura del niño y verifica que es 3.2 cm, es decir 3 cm + $\frac{2}{10}$ de cm.

Si un centímetro del dibujo equivale a 50 cm del tamaño real, ¿a cuánto equivalen 3.2 cm del dibujo?

_____

• Completa la siguiente tabla para que compruebes tu resultado.

Tamaño en el dibujo (cm)	Tamaño real (cm)
1	50
2	
3	
$\frac{1}{10}$	
$\frac{2}{10}$	
$3 + \frac{2}{10}$	

÷ 10   ÷ 10
+   +
=   =

¿Cuál es el tamaño real del niño?_____

Compara tus resultados con los de otros compañeros y comenta con ellos y con tu maestro por qué en un problema de escala las cantidades son proporcionales.

La escala 1 cm: 50 cm también se puede
expresar con la fracción $\frac{1}{50}$,
lo que significa que las medidas del dibujo
están reducidas 50 veces de su tamaño real, o
bien, que el tamaño real es 50 veces la medida
del dibujo.

2. ¿Cuál sería la altura real del niño si la escala fuera $\frac{1}{10}$?

_____

¿Cuál sería la altura real del niño si la escala fuera $\frac{1}{100}$?

_____

• Completa las siguientes tablas para que compruebes
los dos resultados anteriores.

Tamaño en el dibujo (cm)	Tamaño real (cm)
1	10
2	
3	
$\frac{1}{10}$	
$\frac{2}{10}$	
$3 + \frac{2}{10}$	

Tamaño en el dibujo (cm)	Tamaño real (cm)
1	100
2	
3	
$\frac{1}{10}$	
$\frac{2}{10}$	
$3 + \frac{2}{10}$	

Tomás dice que en este problema no puede ser que la
escala sea $\frac{1}{10}$ o $\frac{1}{100}$. ¿Por qué dice eso Tomás?

_____

 **Coméntalo con tus compañeros
y tu maestro.**

3. Haz el dibujo a escala de un cuadrado que mide un
metro por lado. La escala es $\frac{1}{1\,000}$.

¿Cuánto mide un lado del cuadrado que dibujaste?

_____

• Compara tu dibujo con los de otros compañeros.

magina que tienes dos bolsas que contienen igual cantidad de manzanas. Si viertes todas las manzanas en una tercera bolsa, hay propiedades que cambian y otras que no cambian. Por ejemplo, cambia el peso de la tercera bolsa, tal vez su tamaño, la cantidad de manzanas que contiene, el volumen que ocupa. Sin embargo, el valor nutritivo de las manzanas o el color de las mismas, no cambia. En esta situación, las propiedades que sí cambian se pueden medir, las que no cambian no se pueden medir.

A las propiedades que son medibles se les puede asignar un número que representa la medida. En el caso anterior, si cada una de las dos primeras bolsas contenía 26 manzanas, la tercera contendría 52 manzanas. Si cada una de las dos primeras bolsas pesaba 5 kilogramos, la tercera pesará 10 kilogramos. En cambio, si cada una de las dos primeras bolsas contenía manzanas rojas, la tercera contendrá manzanas rojas.

Una de las culturas más antiguas es la de los egipcios, que se desarrolló hace más de 3800 años. Ellos encontraron que las propiedades de peso, longitud, superficie y volumen son medibles.

Para realizar una medición es necesario comparar una unidad de medida con lo que se quiere medir. Las primeras unidades de medida de longitud que se utilizaron desde los egipcios, fueron las diferentes partes del cuerpo, especialmente manos, brazos y piernas, como se puede apreciar en los siguientes dibujos.

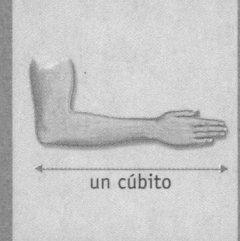

un cúbito

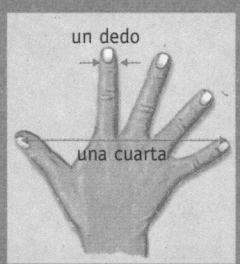

un dedo

una cuarta

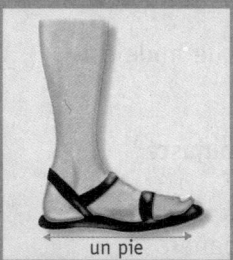

un pie

una pulgada

un paso

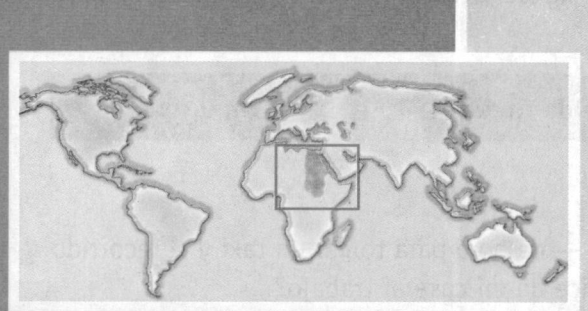

MAR MEDITERRÁNEO

Egipto

MAR ROJO

MEDIO ORIENTE

Río Nilo

ÁFRICA OCCIDENTAL

En los tiempos en los que se construyeron las grandes pirámides de Egipto, se usaba como unidad de longitud el cúbito, que es la longitud del antebrazo, tomado del dedo medio al codo.

El problema de usar como unidad de medida una parte del cuerpo es que varían de una persona a otra. Los ingenieros y arquitectos egipcios se dieron cuenta de la importancia de contar con una unidad de medida que siempre fuera la misma para construir sus edificios y monumentos. Pero, ¿cómo asegurar que la medida del cúbito no variara si cada quien tiene distinta longitud en el antebrazo?

Para construir la Gran Pirámide se estableció el cúbito real, cuya medida fue la longitud del antebrazo del faraón Khufu.

En la actualidad todavía se usan las partes del cuerpo para hacer mediciones en muchas actividades de la vida diaria, pero gracias a la expansión de las actividades comerciales se han establecido unidades de medida estandarizadas, como el metro, el kilo-gramo y el litro.

¿Qué otras unidades de medida se usan en el lugar donde vives?

119

LECCIÓN

¿Como cuánto resulta?

53

1. Después de leer cada uno de los siguientes problemas, selecciona cuál de las tres es la respuesta correcta.

a) Compré $\frac{1}{2}$ kg de guayabas y $\frac{3}{4}$ de kg de uvas. ¿Cuántos kilogramos compré en total?

Menos de un kg	Más de un kg	Un kg

b) Para ir de mi casa al trabajo esperé $\frac{1}{4}$ de hora para tomar un taxi y el recorrido duró $\frac{3}{4}$ de hora. ¿Cuánto tiempo hice de mi casa al trabajo?

Menos de una hora	Más de una hora	Una hora

c) Utilicé $\frac{3}{5}$ de metro de listón para atar un regalo y $\frac{3}{10}$ de metro para hacer el moño. ¿Cuánto listón utilicé en total?

Menos de un metro	Más de un metro	Un metro

d) El carrete de cinta adhesiva contenía $2\frac{1}{3}$ metros y gasté $\frac{3}{6}$ de metro. ¿Qué cantidad de cinta adhesiva quedó en el carrete?

Más de un metro	Menos de un metro	Un metro

e) Al iniciar el viaje la aguja marcaba $\frac{7}{8}$ de tanque de gasolina y al terminar marcaba $\frac{1}{4}$. ¿Qué parte del tanque se consumió?

Más de $\frac{1}{2}$ tanque	Menos de $\frac{1}{2}$ tanque	$\frac{1}{2}$ tanque

f) La mitad del grupo votó por Amelia y la tercera parte votó por Raúl. ¿Qué parte del grupo no votó?

Más de $\frac{1}{2}$ del grupo	Menos de $\frac{1}{2}$ del grupo	$\frac{1}{2}$ del grupo

2. Anota en cada etiqueta la letra del problema anterior que se puede resolver con esa operación. Dos etiquetas quedan sin letra.

$\dfrac{3}{5} + \dfrac{3}{10}$

restarle a uno
la suma
$\dfrac{1}{2} + \dfrac{1}{3}$

$\dfrac{1}{2} + \dfrac{3}{4}$

$\dfrac{7}{8} - \dfrac{1}{4}$

$\dfrac{7}{8} + \dfrac{1}{4}$

$2\dfrac{1}{3} - \dfrac{3}{6}$

$\dfrac{1}{4} + \dfrac{3}{4}$

$\dfrac{1}{2} - \dfrac{1}{4}$

A veces, el denominador de una de las fracciones es múltiplo del denominador de la otra. Por ejemplo $\dfrac{1}{2} + \dfrac{3}{4}$. En estos casos se puede encontrar una fracción equivalente, $\dfrac{1}{2} = \dfrac{2}{4}$.
Entonces $\dfrac{1}{2} + \dfrac{3}{4} = \dfrac{2}{4} + \dfrac{3}{4} = \dfrac{5}{4}$

• Resuelve las operaciones anteriores igualando los denominadores donde sea necesario y verifica tus respuestas de la página anterior.

Para sumar $\dfrac{7}{8} + \dfrac{1}{4}$ conviene convertir $\dfrac{1}{4}$ en octavos. ¿En qué fracción conviene convertir para sumar $\dfrac{1}{2} + \dfrac{1}{3}$? _____

Coméntalo con tus compañeros y tu maestro.

121

LECCIÓN

Algo más sobre el área

54

1. Traza con regla y compás en hojas blancas las siguientes figuras y recórtalas.

- En un círculo de 12 cm de diámetro, un triángulo equilátero, cuyos vértices estén dentro de la circunferencia.
- Un triángulo escaleno cuyos lados midan 6 cm, 10 cm y 8 cm.
- Un triángulo isósceles que tenga un lado de 8 cm y dos de 6 cm.
- Un trapecio isósceles de 10 cm en la base mayor, 4 cm en la base menor y 5 cm de altura.

• En cada una de estas figuras que construiste toma las medidas que necesites y calcula su área. En tu cuaderno registra tus resultados.

• Toma una de estas figuras. Córtala por donde tú creas conveniente para que al reacomodar todos los pedazos puedas formar un rectángulo. Calcula el área del rectángulo y verifica que tiene la misma área que tenía la figura original.

Comenta con tu maestro y tus compañeros lo que acabas de hacer.

2. Trabaja con un compañero. Encuentra entre las figuras de la página siguiente:
¿De qué color es el polígono que tiene 13 lados? _____
¿Cuánto mide su área en cm²? _____
¿De qué color es el triángulo cuya área es la mitad de la del polígono de 13 lados?
_____

• Encuentra el área de la figura limitada por una sola línea curva. _____

¿Cuántos cm² es más chica el área del heptágono que el área del trapecio recto?
_____

• Calcula el área del cuadrilátero morado y del hexágono.

• Calcula el área de la figura limitada por dos líneas curvas _____
¿Cuánto mide la superficie gris? _____
¿Cuántas líneas limitan a esta superficie? _____
¿Cómo son estas líneas? _____

• Encuentra en la configuración la superficie limitada por 16 líneas rectas y una línea curva, ¿de qué color es? _____
¿Podrías calcular su área? _____

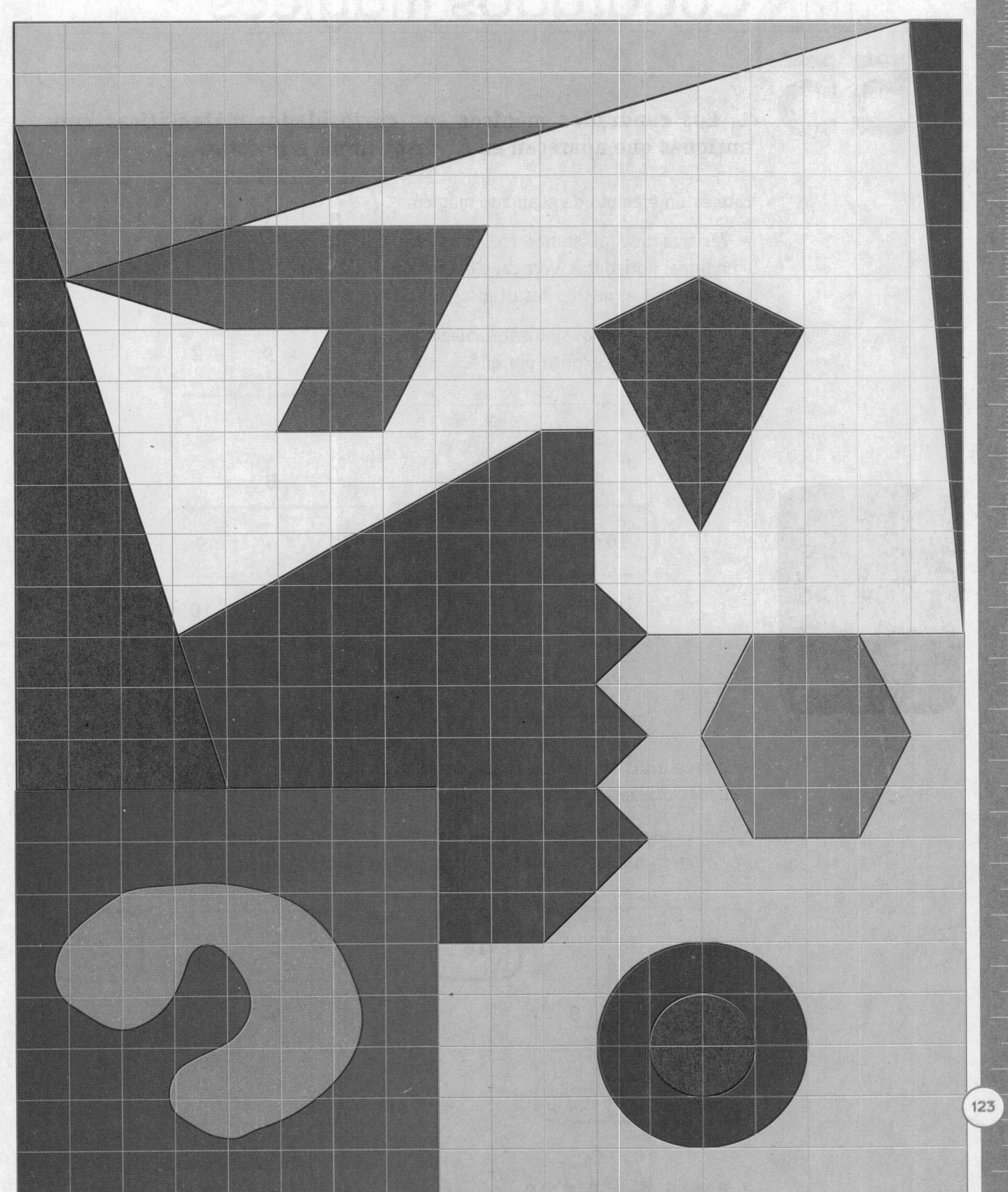

LECCIÓN

Cuadrados mágicos

55

1. Los cuadrados mágicos son curiosidades matemáticas muy antiguas que aparecen en diversos libros o revistas.

Éste es un ejemplo de cuadrado mágico.

- Verifica que al sumar tres números en línea, horizontal, vertical o diagonal, se obtiene el mismo resultado.

- Averigua cuál de los siguientes cuadrados no es mágico y explica por qué.

8	1	6
3	5	7
4	9	2

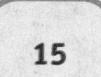

15

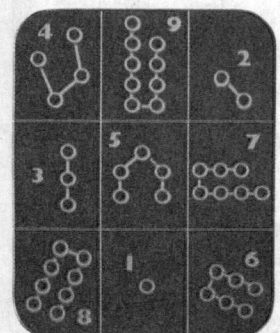

A

10	3	9
5	7	8
6	11	4

B

11	4	9
6	8	10
7	12	5

- Completa los siguientes cuadrados mágicos colocando los números que faltan. Puedes utilizar el material recortable número 6.

- Con la ayuda de tus compañeros trata de averiguar qué relación hay entre el número que se coloca al centro y la suma.

9		
	6	8

18

	5	
	9	11

27

2, 3, 4, 5, 6, 7, 8, 9, 10   5, 6, 7, 8, 9, 10, 11, 12, 13

2. Los cuadrados mágicos también se pueden hacer con fracciones.
Completa el cuadrado de la derecha sabiendo que la suma de tres números en línea debe ser $\frac{15}{2}$.

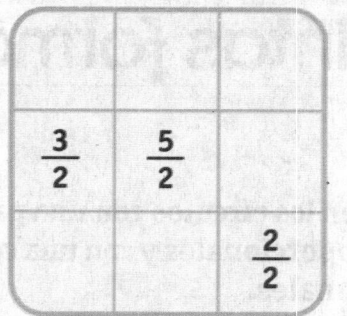

$\frac{3}{2}$	$\frac{5}{2}$	
		$\frac{2}{2}$

$\frac{15}{2}$

Éstas son las fracciones que debes colocar:

$\frac{1}{2}$, $\cancel{\frac{2}{2}}$, $\cancel{\frac{3}{2}}$, $\frac{4}{2}$, $\cancel{\frac{5}{2}}$, $\frac{6}{2}$, $\frac{7}{2}$, $\frac{8}{2}$, $\frac{9}{2}$

- Con tus compañeros y tu maestro, verifica que cada una de las ocho sumas, tres horizontales, tres verticales y dos diagonales, da como resultado $\frac{15}{2}$.

¿Cómo se expresa $\frac{15}{2}$ con un número mixto? _____

3. El siguiente cuadrado mágico se llenará con estos números:

$\frac{1}{2}$, $\cancel{\frac{3}{4}}$, 1, $\frac{5}{4}$, $\frac{3}{2}$, $\frac{7}{4}$, 2, $\frac{9}{4}$, $\cancel{\frac{5}{2}}$

- Antes de llenar el cuadrado contesta las siguientes preguntas.

$\frac{5}{4}$	$\frac{5}{2}$	$\frac{3}{4}$

¿Qué número crees que irá en el cuadrito central?

_____

¿Cómo van aumentando los números a partir de $\frac{1}{2}$?

_____

¿Cuál debe ser el resultado al sumar tres números en línea?
Dolores dice que el resultado de las sumas es $\frac{9}{2}$; Hugo dice que es $4\frac{1}{2}$ y Pablo dice que es $\frac{9}{6}$. ¿Quién tiene la razón?

_____

- Llena el cuadrado mágico y verifica tus respuestas.

¿Qué crees que hizo Hugo para obtener $4\frac{1}{2}$?

_____

¿Qué crees que hizo Pablo para obtener $\frac{9}{6}$?

_____

LECCIÓN

Distintas formas de variación

56

1. Marca en los círculos con una paloma las tablas que muestran cantidades proporcionales y con una cruz las que no contienen cantidades proporcionales.

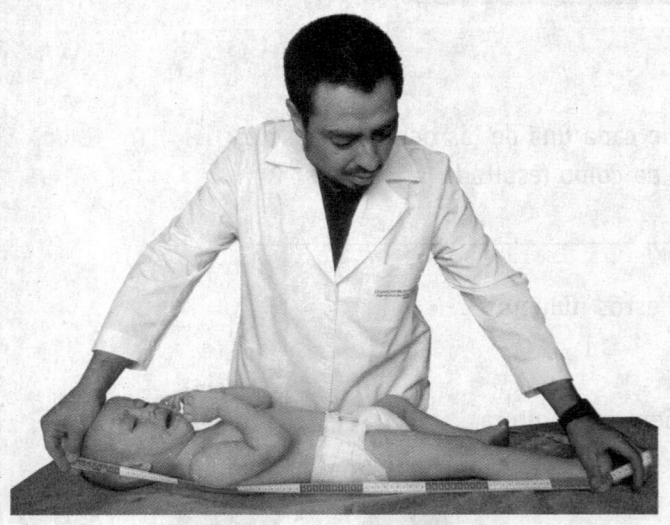

El médico del Seguro Social anotó en el expediente de Juanito su estatura durante varios meses.

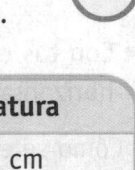

Edad	Estatura
1 mes	51 cm
3 meses	54 cm
6 meses	58 cm
9 meses	63 cm
12 meses	70 cm

En un sitio de taxis colectivos foráneos están anotados los siguientes precios por viaje:

Destino	Distancia	Costo (incluye kilometraje y $5 de *banderazo de salida*)
Santa Rosa	40 km	$20 + $5 = $25
Santa Cruz	60 km	$30 + $5 = $35
Las Margaritas	65 km	$32.50 + $5 = $37.50
San Bartolo	70 km	$35 + $5 = $40
Pueblo Grande	80 km	$40 + $5 = $45

Un autobús gasta las siguientes cantidades de gasolina según las rutas:

A Santa Rosa	4 litros
A Santa Cruz	6 litros
A Las Margaritas	6.5 litros
A San Bartolo	7 litros
A Pueblo Grande	8 litros

En la propaganda de una pizzería se muestran los siguientes precios:

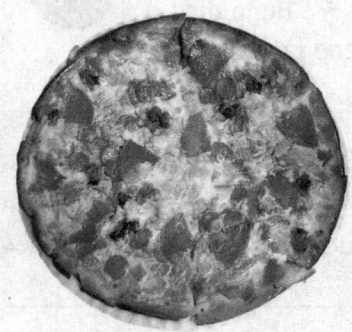

Pizza individual (1 persona)	$20
Pizza chica (2 personas)	$35
Pizza mediana (4 personas)	$50
Pizza familiar (6 personas)	$80

Compara tus respuestas con las de tus compañeros, también los procedimientos que utilizaste para obtenerlas.

2. Sobre las cuadrículas marca los puntos que corresponden a las situaciones de la página anterior; luego une los puntos. Fíjate cómo se hace en el ejemplo. Finalmente, pon un título a las tres gráficas que construyas.

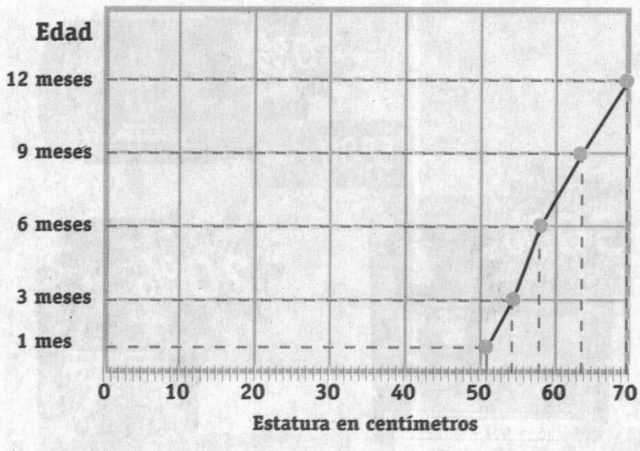

Gráfica de la estatura de Juanito
durante su primer año de vida

_____

_____

_____

3. Escoge un problema de la lección "Pesos y precios" y otro de la lección "Con el mismo sabor" y haz gráficas en tu cuaderno para representar esas situaciones.

Comenta con tus compañeros y tu maestro lo siguiente:

¿En cuáles de las situaciones que representaste las cantidades son proporcionales?
¿Cómo son las gráficas que representan esas situaciones?
La tabla con los precios del taxi colectivo ¿representa una situación de proporcionalidad?
¿Cómo es esa gráfica?

127

LECCIÓN

Descuentos y recargos

57

1. ¿Has visto alguna vez un anuncio como este?

SUPER OFERTAS

25%

40%

$500

$100 c/u

30%

20%

50%

$800

$2 800

$700

En las tiendas, en ocasiones, anuncian descuentos y también recargos. Por lo general, en esos anuncios aparece el signo %, ¿sabes cómo se lee ese signo? ¿Sabes qué significa? Coméntalo con tus compañeros.

Pedro dice: La grabadora cuesta $800 y le descuentan 50%, eso quiere decir que por cada $100 descuentan $50.

Paco dice: Sí, y si la reproductora de casetes cuesta $500 y el descuento es de 40%, eso quiere decir que por cada $100 descuentan $40.

• Para responder las siguientes preguntas utiliza el procedimiento que quieras.

Según lo que dicen Paco y Pedro, ¿cuánto costará la grabadora? _____

¿Cuánto descontarán al aparato de sonido? _____

2. Tomando en cuenta lo que dijeron Pedro y Paco, completa la tabla de la izquierda.

Descuento	Cantidad descontada por cada 100 pesos
18%	
	80 de cada 100
75%	
	40 de cada 100
35%	

Según el anuncio, ¿cuántos pesos por cada 100 descontarán a los discos?

_____

¿Cuántos pesos por cada 100 descontarán a las bocinas?_____

¿Qué descuento deberá tener un producto para pagar sólo $70 por cada $100?

_____

3. Con frecuencia, en las tiendas también se hacen recargos a los artículos. ¿Sabes cuándo ocurre esto?

- Un empleado de un almacén está calculando los recargos que se harán a algunas prendas de ropa que se venderán a plazos. Completa las siguientes tablas calculando los recargos que faltan.

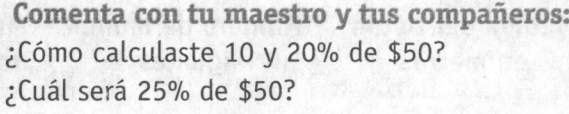

5%	
$100	$5
$200	
$400	
	$25
$700	
$800	
$1 000	
$1 500	

10%	
$50	
$100	
$250	
$300	$30
	$45
	$80
$950	
$1 100	

20%	
$50	
$100	$20
$400	$80
$500	
	$160
$900	
	$200
	$300

Comenta con tu maestro y tus compañeros:
¿Cómo calculaste 10 y 20% de $50?
¿Cuál será 25% de $50?

4. Diana dijo:

25% de 100 es lo mismo que la cuarta parte de 100.
50% de 100 es lo mismo que la mitad de 100.
10% de una cantidad es lo mismo que la décima parte de esa cantidad.

- ¿Tendrá razón Diana? _____ ¿Por qué? Busca una manera de verificarlo.

¿Es correcto decir que calcular 20% de una cantidad es lo mismo que calcular la tercera parte de esa cantidad? _____ ¿Por qué? _____
_____

Juan pagará a plazos un aparato de sonido. Le hicieron un recargo de la quinta parte del precio. ¿A qué porcentaje del precio corresponde el recargo? _____

Según el anuncio, ¿qué parte del precio le descontarán a cada uno de los discos compactos? _____

¿Cuánto deberá pagarse por un disco considerando el descuento? _____

5. Anota sobre la línea qué porcentaje se calculó.

$200	$40
$750	$150
$1 200	$240

_____

$90	$9
$20	$2
$30	$3

_____

Comenta con tu maestro y tus compañeros tus respuestas a esta lección.

LECCIÓN

La tienda de regalos

58

1. Dolores tiene una tienda de regalos y muchas veces hace moños para adornarlos.

Dolores tiene un listón de 3 metros y lo quiere usar todo para hacer cuatro moños iguales. ¿Cuántos metros de listón utilizará para cada moño? _____

Hilda dice que para cada moño se utilizará $\frac{3}{4}$ de metro, mientras que Beto dice que se utilizará 0.75 metros. ¿Quién tiene razón? _____

2. Dolores tiene varios listones de colores y medidas distintas, con los que hará moños iguales. Observa la siguiente tabla y resuelve la última columna. Verifica tus respuestas.

Color	Medida del listón en metros	Número de moños iguales	Medida para cada moño en metros
Azul	3	5	
Rojo	2	3	
Verde	5	4	
Blanco	7	7	
Amarillo	5	6	
Lila	4	5	
Naranja	4	3	

¿De qué color son los moños que van a llevar más de un metro de listón?

_____

¿Cuáles llevarán menos de un metro? _____

¿Cuáles llevarán exactamente un metro? _____

_____

Algunos niños resolvieron el último renglón de la tabla con los siguientes procedimientos. ¿Quiénes lo hicieron correctamente? _____

_____

¿Cuál razonamiento usaste tú para completar la tabla? _____

_____

De cada metro se usa $\frac{1}{3}$ para cada moño. Como son 4 metros, a cada moño le tocan $\frac{4}{3}$ de metro.

Alejandra

Se divide 3 entre 4

$$4\overline{)\,3\,0} \atop 0.75$$
20
0

Para cada moño 0.75 metros.

Pedro

Se divide 4 entre 3

$$3\overline{)\,4} \atop 1.3$$
10
1

Para cada moño 1.3 metros.

David

En 4 metros hay $\frac{12}{3}$ de metro. $\frac{12}{3}$ entre 3 moños, le tocan $\frac{4}{3}$ a cada moño.

Susana

Se divide 4 entre 3 y el resultado es $\frac{4}{3}$.

Miguel

Se divide 3 entre 4 y el resultado es $\frac{3}{4}$ para cada moño.

Ricardo

131

Comenta con tus compañeros y tu maestro los diferentes procedimientos correctos para que los puedas usar en otros problemas.

LECCIÓN **59**

El volumen de los prismas

1. Busca la lección en la que trabajaste con los prismas. Menciona sus características _____

_____

_____

Comenta con tu maestro y tus compañeros la siguiente información:

El volumen de un prisma es la cantidad de unidades cúbicas que caben en él. Un ejemplo de unidad cúbica es el centímetro cúbico que se abrevia cm³ y es el volumen que tiene un cubo cuyos lados miden un centímetro.

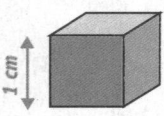

1 cm

• Usando la información que acabas de leer, calcula el volumen en cm³ de los siguientes prismas.

• Completa las magnitudes que faltan.

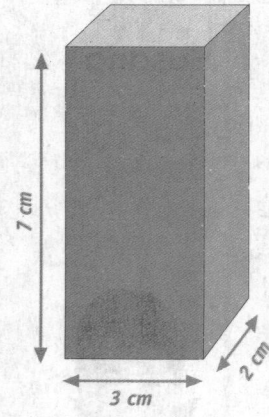

7 cm

3 cm

2 cm

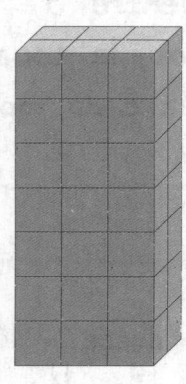

V= _____

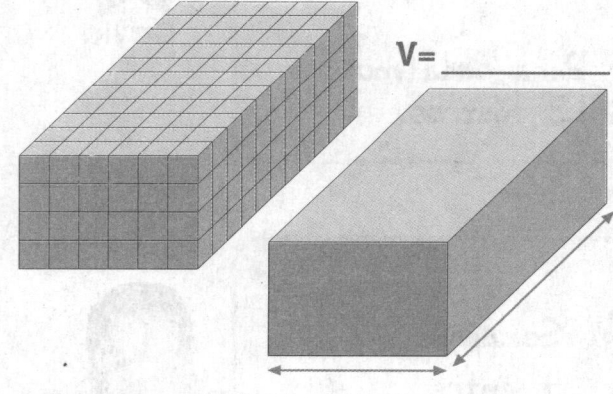

V= _____

V= _____

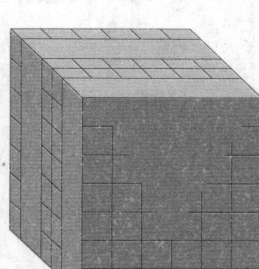

V= _____

7 cm

2. Con centímetros cúbicos se construyen barras y losetas, como se muestra en el dibujo. Con este material se construye un cubo grande.

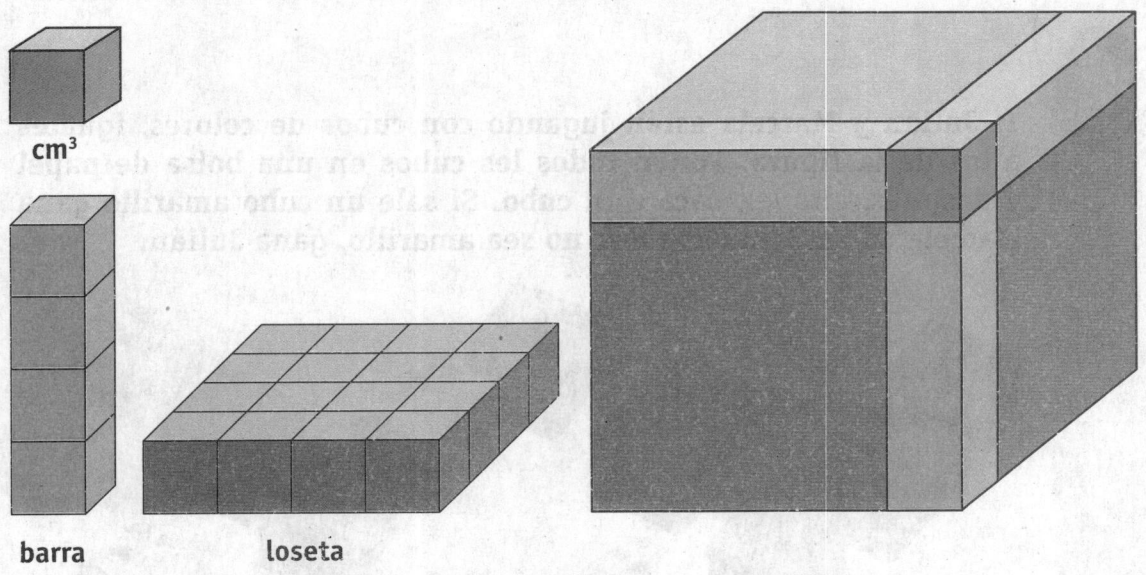

cm³

barra   **loseta**

¿Qué crees que hay debajo de la loseta que se ve en la cara superior del cubo?

_____

Si ese espacio está ocupado sólo con losetas, ¿cuántas son? _____

Y si debajo de esa loseta el espacio está ocupado con barras, ¿cuántas son? _____

Y si el espacio está ocupado por cm³, ¿cuántos son? _____

3. Tú ya sabes que 10 cm es un decímetro. El volumen de un cubo en el que su lado mide un dm es de un decímetro cúbico y se abrevia dm³.

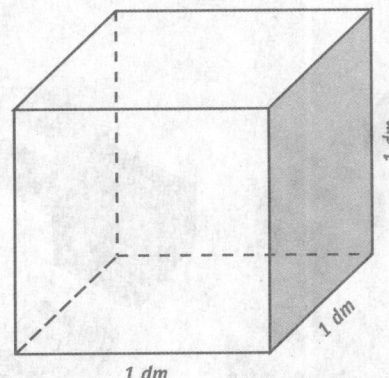

1 dm
1 dm
1 dm

• Con cartoncillo construye una caja en forma de cubo sin tapa que tenga 1 dm³ de volumen y guárdala porque la vas a usar en la lección 69 cuando trabajes con los litros.

¿Cuántos centímetros cúbicos caben en 1 decímetro cúbico? _____

LECCIÓN

60

Los cubos de colores

1. Julián y Marcela están jugando con cubos de colores, iguales a los de la figura. Ponen todos los cubos en una bolsa de papel y después, sin ver, sacan un cubo. Si sale un cubo amarillo gana Marcela, si sale un cubo que no sea amarillo, gana Julián.

¿Quién crees que tiene más oportunidades de ganar? _____

¿Cuántos cubos hay en total? _____

¿Con cuántos cubos gana Julián? _____

¿Con cuántos gana Marcela? _____

¿Cuál escogerías tú para jugar? _____

¿Por qué? _____

2. Si ahora tienen los siguientes cubos:

¿Cuántos cubos hay? _____

¿Cuántas oportunidades tiene Julián de ganar? _____

¿Cuántas tiene Marcela? _____

¿Crees que el juego es más equitativo ahora? _____

¿Por qué? _____

3. Ángela y Jacinto tienen tres cubos iguales, uno verde, uno azul y uno rojo. Los ponen en una bolsa de papel, escogen uno sin ver, anotan el color que les salió y lo regresan a la bolsa. Después escogen otro cubo sin ver. Jacinto gana si salen dos cubos del mismo color y Ángela gana si salen dos cubos diferentes.

¿Se podría saber quién tiene más oportunidades de ganar? _____

¿Por qué? _____

• Discútelo con tus compañeros.

• Colorea el diagrama de árbol con todas las posibilidades que pueden aparecer.

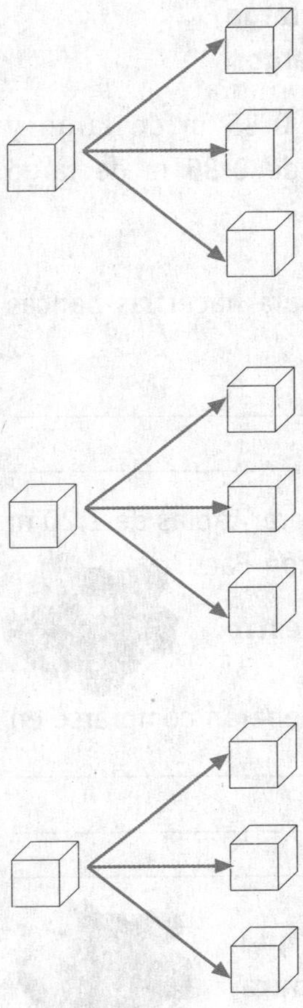

¿Cuántos arreglos diferentes hay? _____

¿Con cuántos gana Jacinto? _____

¿Con cuántos gana Ángela? _____

¿Quién tiene más oportunidades de ganar? _____

_____

¿Con qué opción jugarías tú? _____

¿Por qué? _____

_____

Comenta tus respuestas con tus compañeros y tu maestro.

LECCIÓN
Medidas convenientes

61

1. En una escuela van a hacer bancas y mesas con la cubierta de madera, para equipar la biblioteca. Las tablas que hay en la maderería tienen una pulgada de grosor y las siguientes medidas:

1.10 m de ancho y 1.75 m de largo
1.20 m de ancho y 2.455 m de largo
1.35 m de ancho y 2.75 m de largo

La cubierta de las bancas debe ser de 0.85 m de largo y 0.35 m de ancho. Las mesas deben ser de 0.85 m de largo y 0.60 m de ancho.

¿Qué tamaño de tabla conviene comprar para hacer las bancas con el menor desperdicio de madera?

_____

¿Por qué? _____

Paco dice que para las mesas conviene comprar tablas de 1.20 m de ancho por 2.455 m de largo. ¿Tendrá razón Paco?

Coméntalo con tus compañeros y tu maestro.

2. Si se quieren hacer 12 bancas y 6 mesas, ¿cuántas tablas deberán comprarse en total? _____ ¿Cuáles serán las medidas de las tablas? _____

_____

Comenta con tu maestro y tus compañeros qué operaciones y procedimientos utilizaste para resolver las preguntas anteriores.

136

3. Ésta es una regla graduada en milímetros:

Regla graduada con marcas de cm del 1 al 18 y puntos marcados.

- Anota, considerando el centímetro como unidad, el lugar que corresponde a los puntos marcados. Fíjate en el ejemplo que corresponde al punto rojo: **1.4 cm**

_____ _____ _____ _____

Tomando como unidad el centímetro, ¿cuál es la distancia entre el punto rojo y el punto azul? _____

- Traza en tu cuaderno una línea que mida cuatro veces esa distancia, ¿cuánto medirá la línea? _____

- Traza una línea que mida 3 veces la distancia entre el punto verde y el amarillo y una línea que mida 4 veces la distancia entre el punto verde y el negro. ¿Cuánto miden cada una de las líneas que trazaste?

_____ _____

¿Con qué operación podrías calcular la medida de las líneas sin trazarlas?
_____

¿Podrías haber utilizado una suma, por ejemplo: 4.5 + 4.5 + 4.5 + 4.5?
_____

- Prueba ahora con tu calculadora, multiplica 4.5 x 4. ¿Qué resultado obtienes?
_____

¿Con qué multiplicación puedes obtener la medida de la segunda línea que trazaste?
_____ ¿Y la tercera?_____

4. Resuelve las siguientes multiplicaciones. Antes de hacerlo discute con tu maestro y tus compañeros dónde deberás colocar el punto decimal.

17.10 X 25 =

32.1 X 72 =

114.28 X 49 =

120.50 X 10 =

Comprueba tus resultados utilizando la calculadora. ¿De qué otra manera podrías comprobar los resultados? Coméntalo con tu maestro y tus compañeros.

137

LECCIÓN

El círculo y sus encantos

62

1. En los polígonos dibujados, ¿se puede trazar una circunferencia que pase por todos los vértices de cada uno de ellos?

• Marca el punto donde debe apoyarse el compás para trazar la circunferencia.

• ¿Usaste los ejes de simetría para encontrar el centro de los círculos? Si no fue así, inténtalo de esta manera.

¿En qué figuras puedes trazar el círculo? _____

¿En cuáles polígonos de los dibujados se puede trazar el círculo, en los regulares o en los que no lo son? _____

2. Con una tapa redonda traza un círculo en una hoja y recórtalo. ¿Qué puedes hacer con ese círculo para encontrar su centro? _____

• Comprueba con el compás si el punto marcado es el centro del círculo.

Cuando los círculos están dibujados y no podemos doblarlos, su centro se puede encontrar haciendo algunos trazos. Sigue las instrucciones para encontrar el centro del círculo que está a la izquierda.

- Traza al interior de la circunferencia dos segmentos no paralelos. Cada uno de ellos debe unir a dos puntos de la circunferencia.

- Traza dos líneas perpendiculares a los segmentos que pasen por el punto medio de cada uno de ellos.

- Comprueba con tu compás que el punto donde se cortan las perpendiculares es el centro del círculo.

3. Con regla y compás, traza un triángulo equilátero cuyos vértices estén en una circunferencia.

¿Es la longitud del diámetro del círculo igual a la medida del lado del triángulo?

_____

• Traza con regla y compás un triángulo equilátero que tenga lados de 4 cm y cuyos vértices estén en una circunferencia.

• Usa ese triángulo para trazar un hexágono regular cuyos vértices estén en la circunferencia.

¿Cómo es la magnitud del radio del círculo respecto a la longitud del lado del hexágono? _____

4. Subraya las afirmaciones que son ciertas.

- Los lados de un triángulo equilátero, cuyos vértices son puntos de una circunferencia, tienen la misma medida que el radio.

- El lado del hexágono regular, cuyos vértices son puntos de una circunferencia, miden lo mismo que el radio del círculo correspondiente.

- El diámetro de un círculo mide lo mismo que el lado del triángulo equilátero, cuyos vértices están sobre la circunferencia.

5. En una hoja blanca o en tu cuaderno reproduce, con apoyo del compás, la serie de flores y coloréala.

LECCIÓN

Las vacunas en el mundo

63

1. La tabla de abajo muestra los datos de niños vacunados en algunos países del mundo.

Estos datos se expresan en **porcentajes (%)**, es decir, que el número que aparece en cada espacio de la tabla indica cuántos niños, de cada 100, han sido vacunados. Por ejemplo, el renglón correspondiente a México muestra que 93 de cada 100 niños, de un año o menos, han sido vacunados contra la tuberculosis y que 89 de cada 100 niños han sido vacunados contra el sarampión.

País	Tuberculosis	Difteria, tétanos, tosferina (DPT)	Polio	Sarampión
Argentina	99	83	88	99
Bolivia	85	42	33	51
Brasil	99	94	96	96
China	96	98	98	97
Costa de Marfil	84	61	61	66
Etiopía	74	58	57	46
Francia	83	96	97	97
Guatemala	88	89	91	81
Haití	28	22	20	22
India	79	73	73	66
Japón	91	100	98	94
México	93	94	95	89
Nigeria	27	21	22	26
Turquía	73	79	79	76
Venezuela	80	38	64	94
Promedio				

Porcentaje de niños de un año o menos que han sido vacunados (1998)

Fuente: UNICEF (Fondo de las Naciones Unidas para la Infancia)

• Compara en la tabla los renglones de México y de Etiopía, ¿en qué país están mejor protegidos los niños contra estas enfermedades? _____

¿Qué significa que en Japón 100% de los niños haya recibido la vacuna DPT?

_____

- Con los datos de la tabla discute si te parece que los niños mexicanos están bien protegidos contra las enfermedades. ¿Están mejor protegidos que los niños de otros países? _____

- Para cada enfermedad, calcula el promedio de vacunas aplicadas por cada 100 niños. Anótalo en la tabla. ¿Qué información nos da el promedio de cada columna?
_____
_____

Coméntalo con tus compañeros.

¿Contra qué enfermedad están mejor protegidos los niños de estos países?
_____

¿Cómo es la protección de los niños de Turquía en esta enfermedad, con respecto a los otros países? _____

¿Contra qué enfermedad están menos protegidos los niños de estos países?
_____

2. Traza una gráfica en tu cuaderno con los datos de la tabla que corresponden a la vacunación contra la tuberculosis.

- A partir de tu gráfica, contesta las siguientes preguntas:

¿Cuáles son los países que tienen menor protección contra la tuberculosis?
_____

¿Cuáles son los países mejor protegidos? _____
_____

- Ordena, de menor a mayor, los datos correspondientes a la tuberculosis.
   ¿Cuál es la mediana de estos datos? _____
   ¿A qué país corresponde esa mediana? _____
   ¿México está por debajo o por arriba de la mediana? _____
   ¿Cómo está México respecto al promedio en esta enfermedad? _____

3. Usa los datos de la tabla de la página anterior y construye gráficas para las otras vacunas. Contesta las mismas preguntas que en el ejercicio anterior.

4. Localiza en un mapa del mundo los países que aparecen en la tabla. Colorea de azul los que tienen una protección por arriba del promedio en todas las vacunas y de rojo los que la tienen por debajo del promedio en todas las vacunas.
¿Hay algún país que no coloreaste? _____
¿Qué significa? _____
¿De qué color quedó México? _____
¿Qué significa? _____

LECCIÓN

La tienda de pinturas

64

1. **Raúl trabaja en una tienda de pinturas. Muchas veces tiene que mezclar dos o más colores para obtener nuevos colores.**

- Raúl mezcló en una cubeta, para pintar su cuarto, las siguientes cantidades de pintura.

3 litros de pintura blanca   5 litros de pintura verde

¿De qué color crees que es la mezcla? _____

¿Cuántos litros de mezcla hay en la cubeta? _____

¿Qué fracción de la mezcla es pintura blanca? _____

¿Qué fracción de la mezcla es pintura verde? _____

¿Qué resultado obtienes al sumar la fracción de pintura blanca con la fracción de pintura verde? _____

¿Por qué crees que se obtiene ese resultado? _____

_____

Coméntalo con tus compañeros y tu maestro.

Raúl dice que el resultado que se obtiene es 1, René dice que es $\frac{8}{16}$ y Cristina dice que es $\frac{8}{8}$. ¿Quién tiene razón? _____

_____

2. Para pintar la sala, Raúl necesita mucho más pintura. Hará una mezcla del mismo color, pero ahora utilizará 20 litros de pintura verde.

¿Cuántos litros de pintura blanca debe utilizar? _____

¿Cuántos litros de mezcla habrá en la cubeta? _____

¿Qué fracción de la mezcla es pintura blanca? _____

¿Qué fracción de la mezcla es pintura verde? _____

Raúl dice que las fracciones de pintura blanca y de verde son las mismas que con ocho litros de mezcla. ¿Qué opinas tú?

_____

Coméntalo con tus compañeros y tu maestro y justifica las respuestas que des.

3. Raúl ya casi termina, le falta sólo el baño. Ahora pone un litro de pintura verde y quiere que la mezcla salga del mismo color.

¿Crees que debe utilizar más de un litro, menos de un litro o exactamente un litro de pintura blanca?_____

¿Cuánto debe utilizar de pintura blanca? _____

Si para hacer una mezcla de igual color Raúl utilizara un litro de pintura blanca, ¿cuánto tendría que agregar de pintura verde?

_____

4. Seguramente al resolver esta lección usaste las siguientes fracciones. Relaciona cada una con el significado que le corresponde.

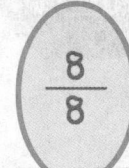 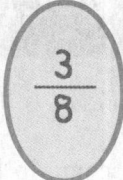 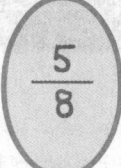 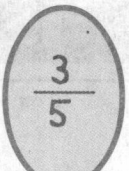 

Litros de pintura blanca por cada litro de pintura verde	Fracción de pintura verde que hay en la mezcla	Fracción que representa el total de la mezcla	Litros de pintura verde por cada litro de pintura blanca	Fracción de pintura blanca que hay en la mezcla

LECCIÓN

65

La pared sin ventana (I)

1. Juan está remozando su casa. Al quitar una ventana rectangular quedó un hueco en la pared de 60 cm de alto por 1.20 m de largo.

Norma y Andrés, hijos de Juan, quieren colocar en el hueco una pecera. Pero Juan dice que va a tapar el hueco con los ladrillos que tiene en el patio. Éstos son como el que se muestra en el dibujo.

Andrés y Norma empiezan a imaginarse distintas maneras de colocar los ladrillos para tapar el hueco. Hicieron el siguiente dibujo para ayudarse.

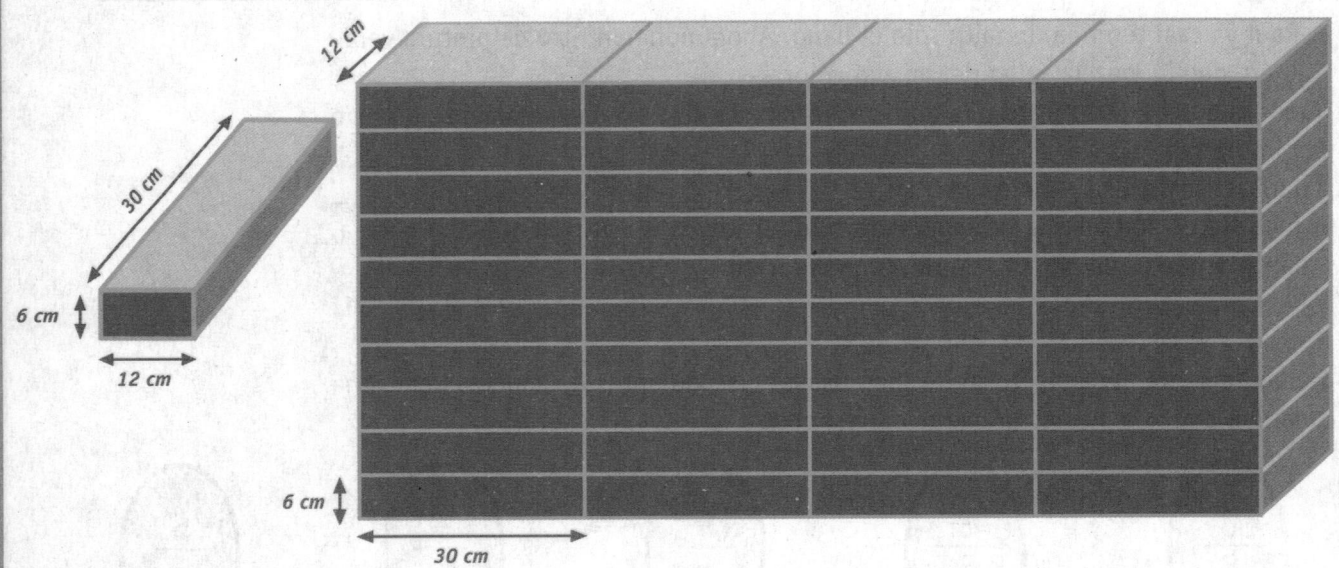

Si para llenar el hueco se colocan los ladrillos como lo hicieron Norma y Andrés, ¿cuál sería el grueso del pedazo de pared con los ladrillos colocados de esa manera?

_____

* ¿Cuánto medirá el volumen de ese pedazo de pared tomando el ladrillo como unidad de volumen?_____

* Dibuja en tu cuaderno el frente de la pared que tiene 20 ladrillos. ¿Cuánto mide el grueso de esa pared? _____

* Dibuja en tu cuaderno el frente de la pared que tiene 100 ladrillos. ¿Cuánto mide el grueso de esa pared? _____

Si tienes ahora como unidad de volumen al cm³, ¿cuánto mide el volumen de cada una de las paredes? Registra tus resultados en la tabla.

Grueso de la pared	Volumen de la pared en ladrillos	Volumen de la pared en cm³
30 cm	100 ladrillos	
12 cm	40 ladrillos	
6 cm	20 ladrillos	

2. Andrés y Norma se ponen a pensar sobre la posibilidad de poner en el hueco una pecera. Y se la imaginan como se muestra en el dibujo.
¿Cuántos litros de agua crees que se necesitan para llenar la pecera? _____

• En la lección 69 vas a seguir ayudando a Norma y a Andrés a calcular la cantidad de agua que le cabe a la pecera.

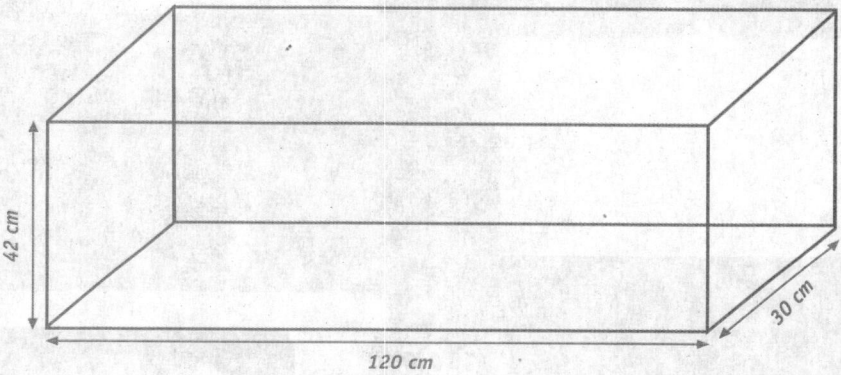

42 cm
30 cm
120 cm

Las compras por montón

66

1. En muchos mercados las frutas se venden por montón.

$ 9.00

$ 4.50

$ 5.00

$ 8.00

$ 7.00

La mamá de Pablo compró un montón de cada una de las frutas. ¿Cuánto pagó en total?_____

Pablo dice que una tuna cuesta la mitad de lo que cuesta una manzana. ¿Es cierto lo que dice Pablo? _____ ¿Por qué? _____
_____

¿Qué cuesta más, un durazno o una pera? _____
Explica por qué _____
_____

Pablo tiene $1.50, ¿le alcanza para comprar un mango? _____
¿Qué hiciste para saberlo? _____
_____

2. Para saber el precio de una tuna, en el salón de Pablo utilizaron cuatro procedimientos distintos.

Equipo 3

Vimos que cada tuna valía menos de un peso. Primero probamos con $ 0.50 y fuimos aumentando hasta que llegamos al resultado.

Equipo 6

Primero dividimos 3 pesos entre 6. Nos resultó $ 0.50, y luego dividimos $ 1.50 entre 6 y nos salió $ 0.25, al final sumamos los dos resultados.

Equipo 4

Dividimos $ 4.50 entre 6 y nos salió $ 0.75.

Equipo 1

Primero vimos que 12 tunas costaban $ 9.00. Dividimos 9 entre 12 y obtuvimos el resultado.

• Reúnete con tu equipo y escribe en el siguiente espacio los cálculos que realizaron en el salón de Pablo.

 **Comenta con tus compañeros y tu maestro por qué al dividir 4.50 entre 6 se obtiene el mismo resultado que al dividir 9 entre 12.**

• Escribe en el siguiente espacio otras tres divisiones en las que se obtenga el mismo resultado que en las dos anteriores.

147

LECCIÓN

67

El secreto de los polígonos regulares

1. En una hoja blanca, con regla y compás, traza un hexágono en el que sus lados midan 4 cm.

¿Cuántos centímetros tienes que abrir el compás? _____

• Recorta el hexágono.

• Explora cómo puedes cortar el hexágono en seis triángulos iguales de tal manera que no sobre superficie del hexágono.

• Si no pudiste cortar los seis triángulos, haz otro hexágono y marca en éste sus ejes de simetría.
¿Te sirvieron los ejes de simetría para encontrar los seis triángulos iguales? _____

• Acomoda los triángulos que encontraste para formar un paralelogramo.

se transforma en

Un hexágono regular   un paralelogramo

2. Ahora dentro de un círculo de 5 cm de radio, traza un octágono. Los vértices del octágono deben ser puntos de la circunferencia. Recorta el octágono.

• Encuentra y traza ocho triángulos iguales en el octágono utilizando toda su superficie.

• Recórtalos.

• Construye con esos triángulos un cuadrilátero.

• Marca en el siguiente dibujo el cuadrilátero que construiste con todos los triángulos y escribe su nombre _____

Un octágono regular

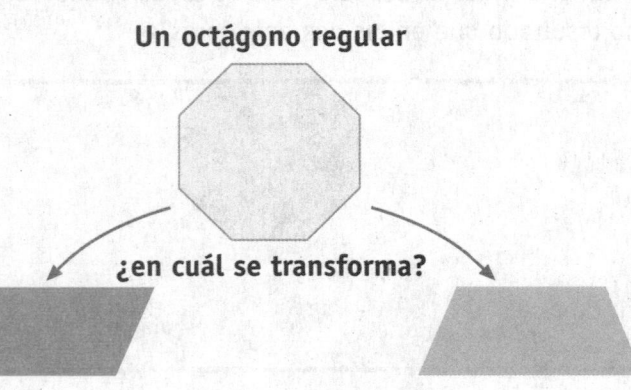

¿en cuál se transforma?

3. En el siguiente pentágono regular encuentra cinco triángulos iguales. Los ejes de simetría te pueden ayudar, pero no te resuelven el problema. Traza los triángulos. ¿Con los cinco triángulos se puede construir un paralelogramo o un trapecio isósceles?

_____

• Marca en el siguiente dibujo el cuadrilátero que formaste con todos los triángulos.

Un pentágono regular

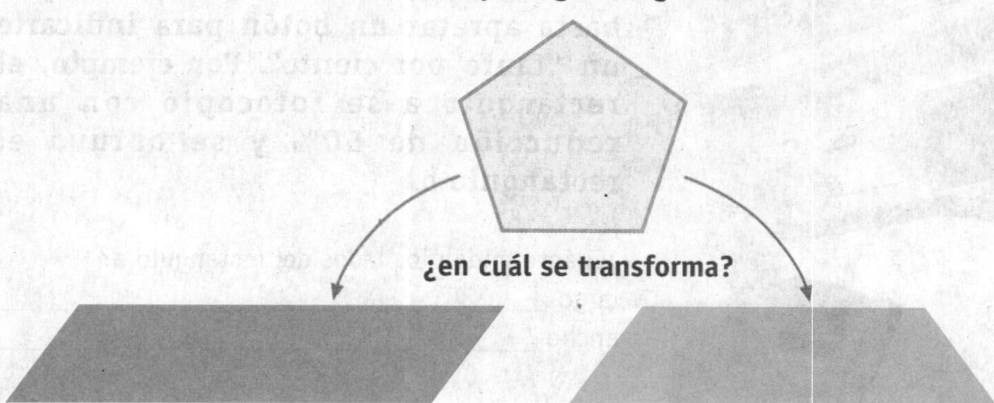

¿en cuál se transforma?

4. ¿De qué crees que dependa que un polígono regular se transforme en un paralelogramo o en un trapecio isósceles? _____

Los polígonos regulares siempre se pueden cortar en tantos triángulos iguales como lados tiene el polígono. ¿Estás de acuerdo? _____

• Para verificar esto, traza en los polígonos siguientes, los siete triángulos iguales del heptágono y los 10 triángulos iguales del decágono.

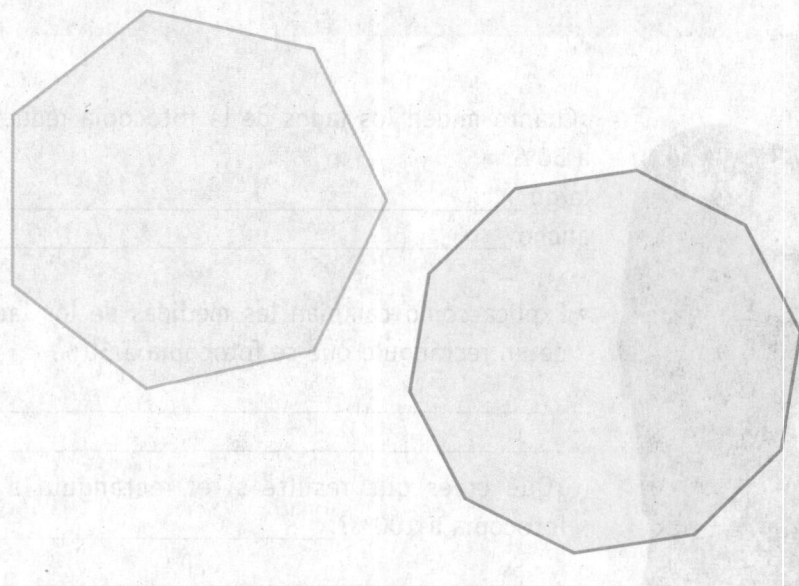

5. Escribe en tu cuaderno cómo calcularías el área de un polígono regular.

Comenta con tu maestro y tus compañeros los ejercicios 4 y 5.

149

LECCIÓN

Las fotocopias

68

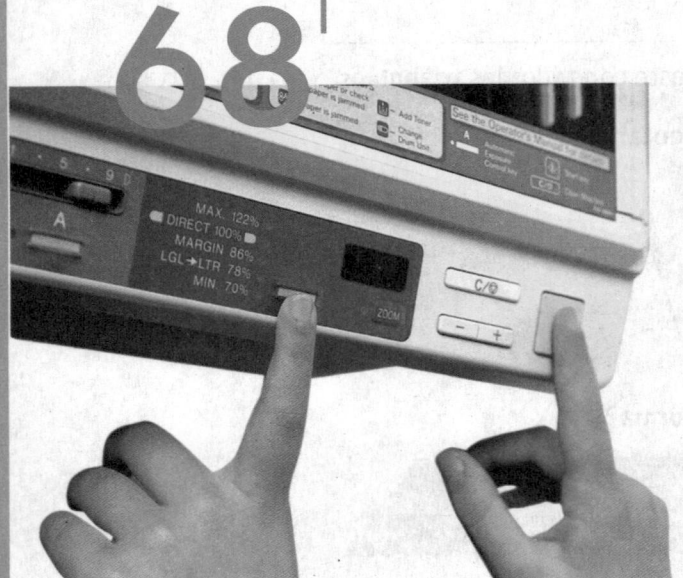

1. Las fotocopiadoras pueden aumentar o reducir el tamaño de lo que se fotocopia, basta apretar un botón para indicarle un "tanto por ciento". Por ejemplo, el rectángulo a se fotocopió con una reducción de 50% y se obtuvo el rectángulo b.

¿Cuánto miden los lados del rectángulo **a**?

largo _____

ancho _____

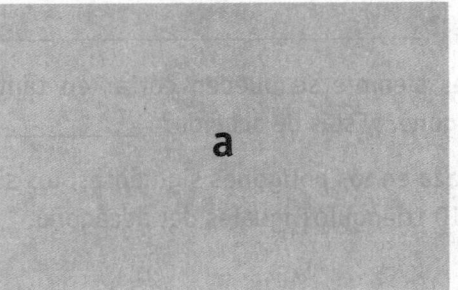

a

b

¿Cuánto miden los lados de la fotocopia reducida a 50%?

largo _____

ancho _____

• Explica cómo cambian las medidas de los lados de un rectángulo que se fotocopia a 50%.

_____

_____

¿Qué crees que resulte si el rectángulo **a** se fotocopia a 100%?_____

_____

¿Cuáles medidas crees que resulten si el rectángulo **a** se fotocopia a 150%?

largo _____

ancho _____

2. El rectángulo **a** se fotocopió varias veces: a 60%, a 80%, a 100%, a 125% y a 150%, y se obtuvieron los rectángulos dibujados abajo. Anota dentro de cada rectángulo el tanto por ciento que le corresponde y calcula sus medidas.

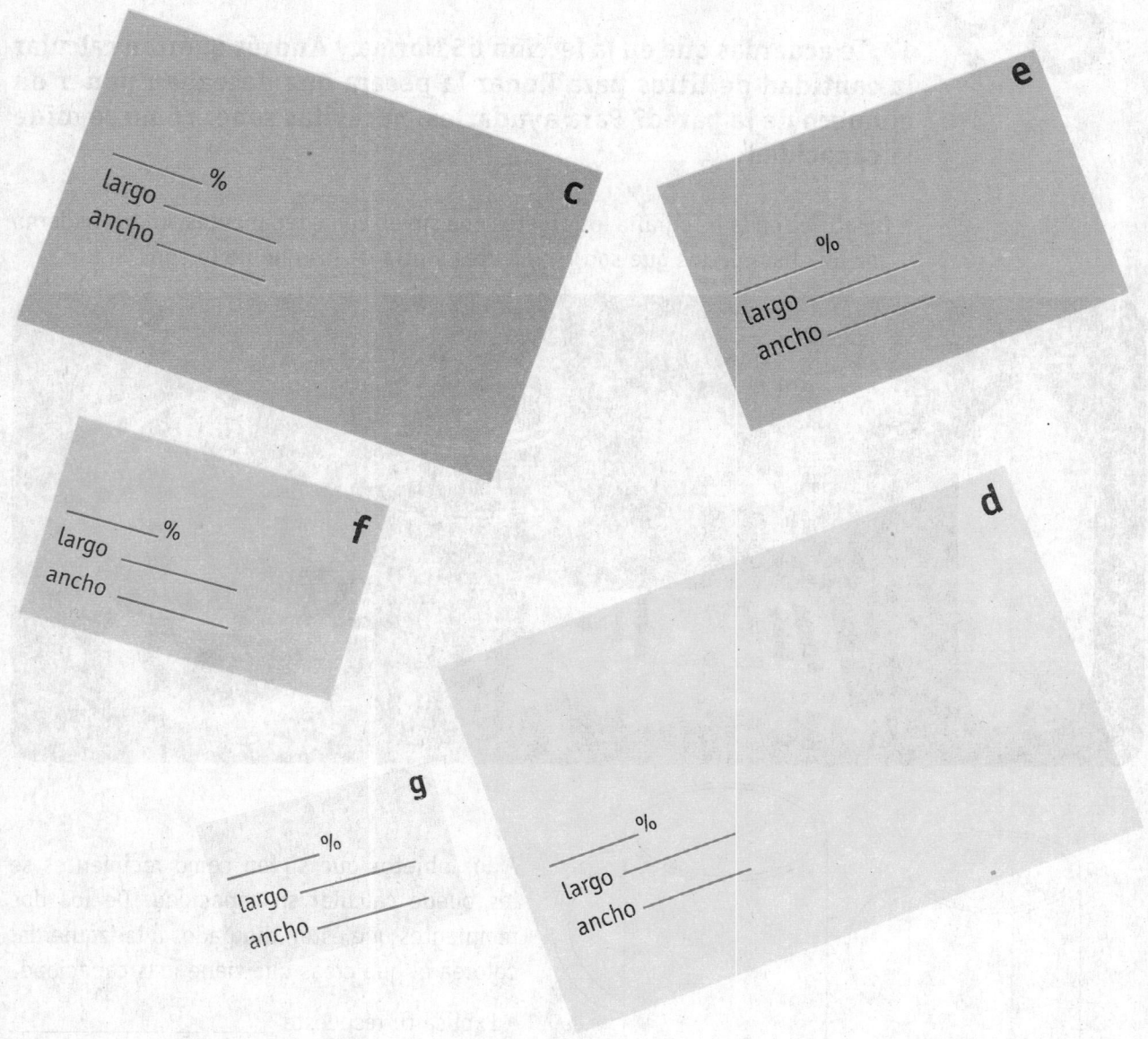

• Usa una regla para comprobar que son ciertas las medidas que calculaste.

3. Paco va a fotocopiar un rectángulo de 12 cm de ancho por 20 cm de largo, reduciéndolo a 75%. ¿Cuáles serán las medidas del rectángulo en la fotocopia?

_____

4. La fotocopiadora no acepta tantos por ciento menores que 50. ¿Qué se puede hacer para reducir el rectángulo **a** a 25%? _____

_____

• ¿Cuáles serían sus medidas? largo _____ ancho _____

LECCIÓN

La pared sin ventana (II)

69

1. **¿Te acuerdas que en la lección 65 Norma y Andrés querían calcular la cantidad de litros para llenar la pecera que deseaban poner en el hueco de la pared? Para ayudarlos, necesitas saber cómo se mide la capacidad.**

• Identifica en la fotografía los objetos que sirven como recipientes. En tu cuaderno haz una lista de los que son recipientes y otra de los que no lo son.

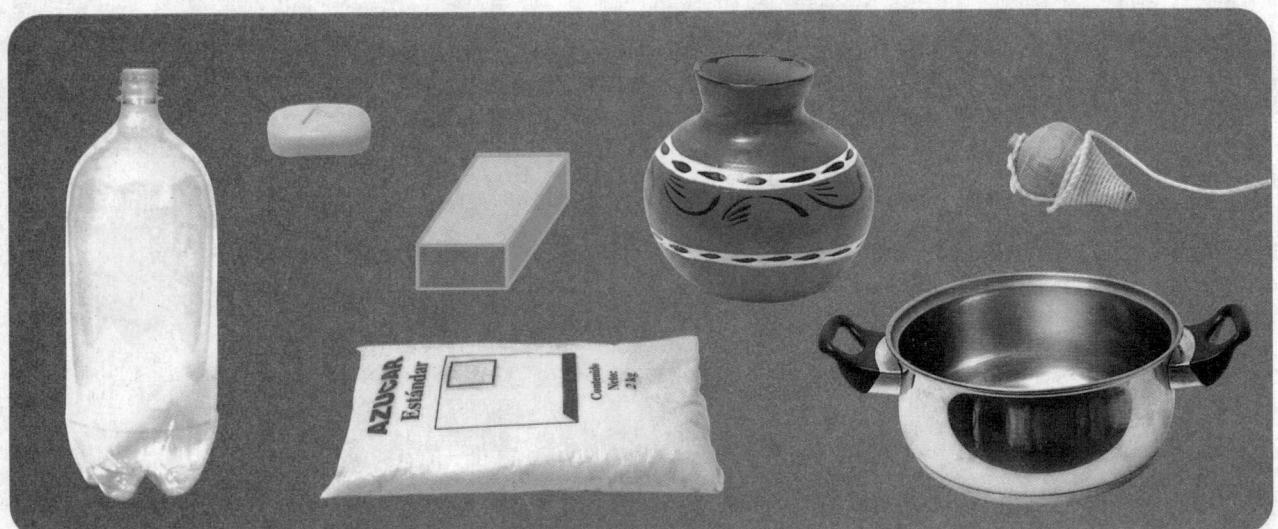

A los objetos que sirven como recipientes se les puede calcular su capacidad. De los dos recipientes que están dibujados a la izquierda, colorea el que creas que tiene más capacidad.

• Explica tu respuesta _____
_____

La pecera que quieren Norma y Andrés, ¿es un recipiente? _____
¿Por qué? _____
¿El ladrillo es un recipiente? _____ ¿Por qué? _____
_____

Comenta con tu maestro y tus compañeros la siguiente información:

Medir la capacidad de un recipiente es averiguar cuántas veces se puede vaciar en éste el contenido de otro recipiente que sirve como unidad de medida. El litro es un ejemplo de unidad de capacidad.

¿Qué otras unidades de medida de capacidad conoces?

_____

_____

_____

• Trabaja en equipo. Consigue una botella que tenga un litro de capacidad y arena. Encuentra la capacidad en litros de diferentes recipientes, como botes, macetas, cacerolas. En tu cuaderno registra los resultados.

2. Utiliza la caja que hiciste en la lección 59. ¿Cuánto mide el volumen de esa caja? _____. ¿Cuál es su capacidad en litros? _____

• Comprueba que la caja cuyo volumen es de un decímetro cúbico tiene una capacidad igual a la de un litro.

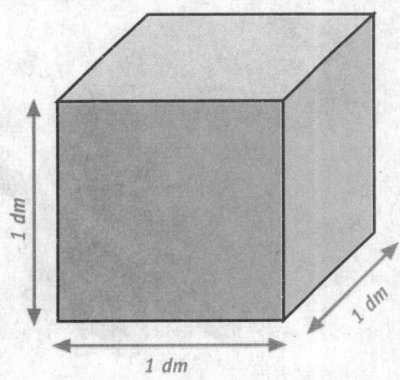

1 dm

1 dm

1 dm

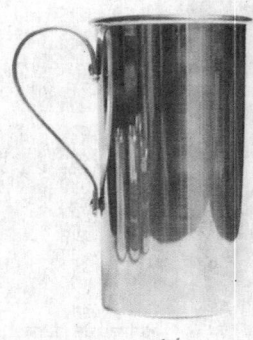

1 l

• Explica qué hiciste para comprobarlo _____

_____

¿Cuántos cm³ tiene un dm³? _____

• Usando el resultado anterior, resuelve cuánto mide el volumen en dm³ de la pared que calculaste en la lección 65, que tiene 30 cm de grueso _____

Si la pecera que quieren hacer Norma y Andrés fuera del mismo tamaño que la pared que tiene 30 cm de grueso, ¿cuántos litros de agua se necesitarán para llenarla? _____

• Usa tu calculadora para averiguar la capacidad en litros de la pecera, cuyo esquema está en la lección 65 _____

153

Ruinas de Machu Picchu

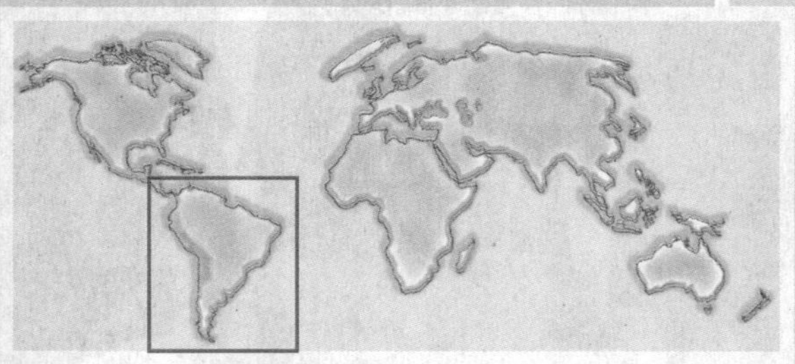

Venezuela
Guyana
Surinam
Guayana Francesa
Colombia
Ecuador
Perú
Machu Picchu
Brasil
Bolivia
Chile
Paraguay
OCÉANO
PACÍFICO
Argentina
Uruguay
OCÉANO
ATLÁNTICO

El imperio inca se desarrolló en lo que hoy es Perú, y llegó a su apogeo en el siglo XV, extendiéndose en la zona andina de Colombia, Argentina y Chile. Los reyes incas mantenían registros muy detallados de la población, la producción y los impuestos. Estos registros se conservaban en unos conjuntos de cuerdas elaboradas con lana o algodón llamadas *quipus*. Un *quipu* consiste en una cuerda principal, de la que cuelgan varias más. Sobre las cuerdas colgantes se hacen nudos que representan las cifras.

Generalmente, cada cuerda contiene un solo número. El número se representa en un sistema de posición con base 10, mediante grupos de nudos que corresponden a los distintos órdenes. El conjunto de nudos más cercano a la cuerda principal representa la cifra de mayor valor relativo, mientras que el colocado en el extremo inferior representa la de menor valor relativo. Por ejemplo, para un número de tres cifras, el conjunto de nudos más cercano a la cuerda principal corresponde a las centenas, el conjunto siguiente corresponde a las decenas y el conjunto inferior a las unidades. El cero se indicaba sin anudar el espacio correspondiente.

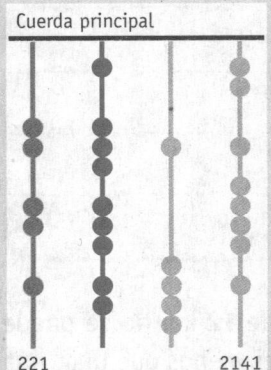

Cuerda principal

221   2141

Según estos principios de numeración, en la ilustración, el número en la cuerda de la extrema izquierda es el 221, mientras que el representado en la cuerda de la extrema derecha es el 2141.

Las cuerdas del quipu podían tener diferentes colores que permitían agruparlas según los diferentes tipos de información. Por ejemplo, se podía usar un conjunto de cuerdas de un color para registrar la población; otro para registrar los tributos que se debían pagar, y un color más para la producción de oro. El número de cuerdas colgantes de un quipu variaba: podía tener tan pocas como dos o tres, o tantas como cientos o hasta miles.

Los quipus fueron un instrumento muy importante en la vida de los incas. Se dice que en el periodo de expansión de este imperio, cuando llegaban a un nuevo territorio se levantaba un censo y el resultado se registraba en un quipu. Cuando se transfería el poder a un nuevo gobernante se utilizaban los quipus para hacer un recuento de los logros del predecesor.

LECCIÓN

El circuito

70

1. Un circuito para carreras de automóviles tiene 12 km de longitud.

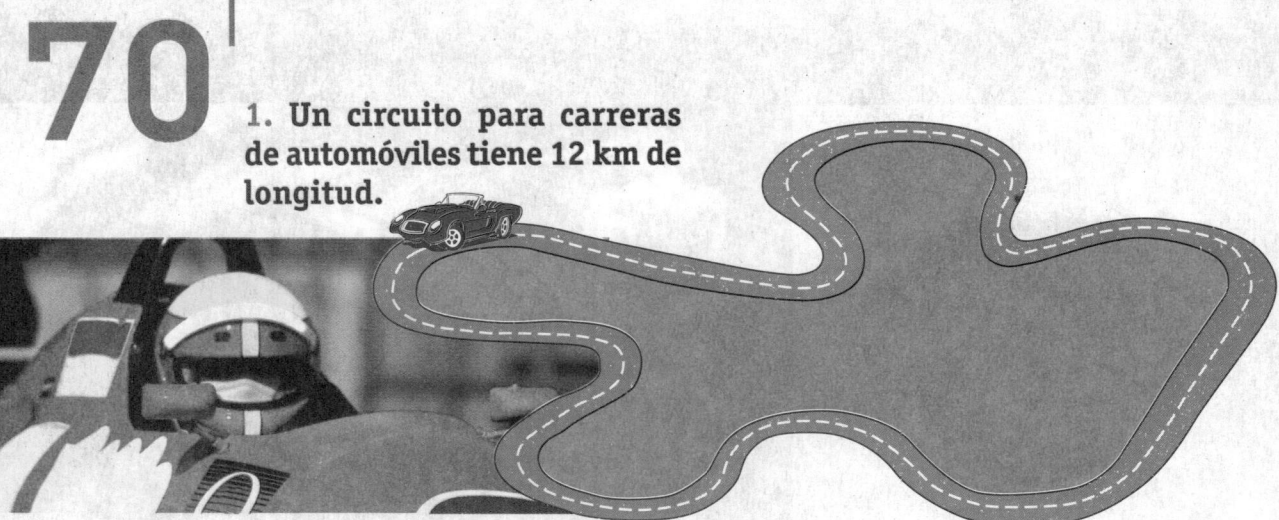

• Calcula la distancia recorrida en:

$\frac{1}{2}$ vuelta	
$\frac{3}{4}$ de vuelta	
$2\frac{1}{2}$ vueltas	
$2\frac{3}{4}$ vueltas	

$\frac{1}{3}$ de vuelta	
$\frac{1}{6}$ de vuelta	
$\frac{5}{4}$ de vuelta	
$\frac{2}{3}$ de vuelta	

¿En qué casos la distancia recorrida es menor que 12 km? _____

_____

¿En qué casos es mayor? _____

2. Calcula el número de vueltas que dio un automóvil al recorrer las siguientes distancias.

12 km	
3 km	
32 km	
5 km	

24 km	
1 km	
18 km	
10 km	

• René dice que cuando son menos de 12 km no se puede decir el número de vueltas, porque es menos que una. Ana dice que sí se puede, usando fracciones. ¿Tú qué opinas?

_____

_____

3. Resuelve los siguientes problemas y escribe tus cálculos y las respuestas de cada uno en los siguientes espacios.

Un corredor se detuvo en el kilómetro 3 para cambiar una llanta. Después dio $8\frac{1}{2}$ vueltas más y tuvo que abandonar la carrera. ¿En qué kilómetro abandonó la carrera?

La carrera completa son 159 kilómetros. ¿Cuántas vueltas habrá que dar al circuito?

El corredor Pedro Veloz abandonó la carrera faltando $2\frac{1}{2}$ vueltas. ¿Cuántos kilómetros ya había recorrido? _____

4. En la pista están señalados los kilómetros del 0 al 12. El km 0 y el km 12 quedan en el mismo punto. Con base en esta información anota los datos que faltan en la siguiente tabla.

Punto de partida	Vueltas recorridas	Punto de llegada
km 5	$3\frac{2}{3}$	km 1
km 4	$1\frac{1}{2}$	
km 2		km 5
	$5\frac{1}{4}$	km 9
km 5	$16\frac{2}{3}$	
km 2	$20\frac{1}{4}$	

- Analiza los datos de la tabla y responde.
  ¿Por qué el primero y el quinto renglones coinciden en el punto de partida y de llegada, aunque no coincidan en las vueltas recorridas?

  _____

  _____

¿En cuál otro par de renglones sucede lo mismo que en el primero y el quinto?

_____

157

LECCIÓN 71 Qué tan grandes y qué tan chicos

1. Crispín cría pájaros, palomas, pollos, patos y gansos. Dibujó jaulas distintas, tomando en cuenta el tamaño de sus aves.

• Anota en la tabla que aparece en esta página las medidas que faltan de las dos jaulas dibujadas.

Si se multiplica por 2 la medida de cada lado de la jaula de las gallinas, ¿se obtienen las medidas de los lados correspondientes de la jaula de los gansos?

_____

Para hacer la jaula de los pájaros, Crispín dividió entre 2 todas las medidas de la jaula de las gallinas. ¿La jaula de los pájaros es más chica o más grande que la de las gallinas? _____

• Escribe en la tabla las medidas de la jaula de los pájaros. Haz el dibujo de esa jaula en la cuadrícula de la página anterior.

Para hacer la jaula de los pollos, Crispín multiplicó por 5 una medida de la jaula de los pájaros, multiplicó por 6 otra medida, multiplicó por 4 otras dos y dejó igual las demás. Las medidas están registradas en la tabla.

• Dibuja en la cuadrícula la jaula de los pollos.

Para hacer la jaula de los patos, Crispín multiplicó por 3 todas las medidas de la jaula de los pájaros.

• Registra en la tabla las medidas de la jaula de los patos y dibújala en la cuadrícula.

Aves	a	b	c	d	e	f	g	h
Gansos	16	8	4					
Gallinas	8	4	2					
Pájaros								
Pollos	20	2	4	1	12	1	4	2
Patos								

 Comenta con tu maestro y tus compañeros la siguiente información:

Un dibujo a escala es una copia más grande o más chica del original. En un dibujo a escala, todas las magnitudes aumentan o disminuyen de la misma manera y se conserva la medida de los ángulos.

¿La jaula de los patos es un dibujo a escala de la jaula de los pájaros? _____
¿Por qué? _____

• Observa los dibujos de todas las jaulas. ¿Cuál es la jaula que no está a escala de las demás?_____
¿Por qué? _____

LECCIÓN

El precio de las cosas

72

1. Marca con una cruz las etiquetas que indican una medida de peso y encierra en un círculo las que indican una medida de capacidad.

25 kg

200 g

$3.50

2 l

$10.50

$16.00

$126.00

$\frac{1}{2}$ l

1 kg

$7.00

400 g

200 g

$6.00

$14.00

600 ml

1 kg

125 ml

$5.00

$65.50

$2.50

Irma compró un frasco de $\frac{1}{2}$ litro de pegamento. Alfonso compró la misma cantidad de pegamento pero en frascos de 125 ml. ¿Quién gastó menos? _____
¿Por qué? _____

El dueño de un restaurante necesita 25 kg de manteca pero en la tienda no hay cubetas de manteca disponibles. Si el restaurantero decidiera llevarse la manteca en cubetas de un kilo, ¿cuánto pagaría de más? _____ ¿Cuántos kilos de manteca podría comprar con ese dinero? _____

Para una kermés unos maestros regalaron 3 kilos de café. Uno gastó $65.50 en el café que compró, otro gastó $56.00, los otros maestros llevaron una lata de 200 g cada uno. ¿Cuántos maestros colaboraron para el café? _____

Carmela y Jacinta compraron jabón. Carmela llevó 7 barras grandes y Jacinta 12 barras chicas.

¿Cuántos kg de jabón compró Carmela? _____
¿Cuántos kg de jabón compró Jacinta? _____
¿A quién le salió más barato? _____

Con una botella chica de refresco se pueden llenar tres vasos. Esteban va a tener una reunión y piensa que si cada quien se toma cuatro vasos de refresco, con seis refrescos de 2 l le alcanzaría exactamente. Si esto es cierto, ¿cuántas personas van a estar en la reunión?_____

Si Esteban comprara sólo refrescos chicos, ¿cuántos tendría que comprar para que cada persona se tome cuatro vasos de refresco?_____

2. Diez unidades de un mismo tipo dan la misma capacidad que la inmediatamente mayor. Las unidades están ordenadas de mayor a menor.

Kilolitro	Hectolitro	Decalitro	Litro	Decilitro	Centilitro	Mililitro

• Usa los datos de la tabla para contestar las preguntas.

¿Cuántas botellas grandes de refresco se necesitan para tener un decalitro de refresco?

_____

¿Cuántas botellas chicas de refresco se necesitan para tener 3 litros de refresco?

_____

Con tres frascos chicos de pegamento, ¿cuántos centili-tros de pegamento se tendrían?

_____

¿Cuánto costaría un hectolitro de pegamento si se compra en frascos grandes?

_____

LECCIÓN

El deporte favorito

73

1. Los alumnos de 3°, 4°, 5° y 6° grados hicieron una encuesta para saber cuál es el deporte favorito en cada grupo. Los resultados de la encuesta fueron escritos de distinta manera.

Grado	Número de alumnos	Futbol	Basquetbol	Volibol
3°	48	19	16	13
4°	42	15	13	14
5°	35	20%	60%	20%
6°	24	$\frac{1}{3}$	$\frac{1}{6}$	$\frac{1}{2}$

¿Cuál es el deporte que tiene más seguidores en cada grupo?

3° _____
4° _____
5° _____
6° _____

Considerando el total de alumnos de los cuatro grupos, ¿cuál es el deporte que tiene más seguidores?

_____

• Anota en tu cuaderno los cálculos que necesites hacer.

2. Calcula mentalmente los siguientes resultados y escríbelos en los espacios.

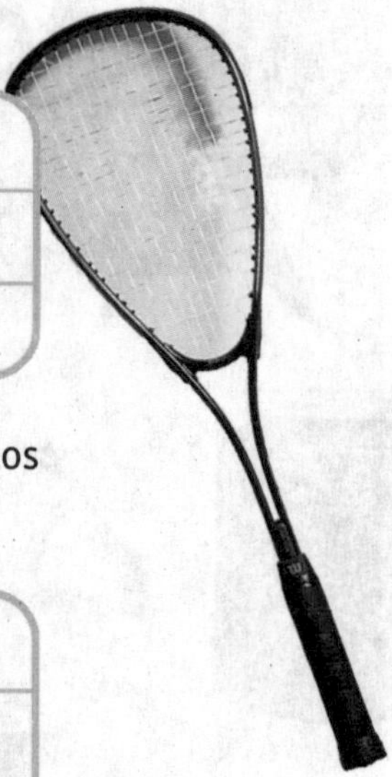

$\frac{1}{2}$ de 32		$\frac{1}{4}$ de 32		$\frac{3}{4}$ de 32	
$\frac{1}{5}$ de 60		$\frac{3}{5}$ de 60		$\frac{5}{6}$ de 60	
$\frac{3}{4}$ de 24		$\frac{3}{4}$ de 36		$\frac{3}{4}$ de 60	

3. Usa tu calculadora para realizar los siguientes cálculos y escribe los resultados en los espacios.

$\frac{2}{3}$ de 456		$\frac{3}{5}$ de 1 870	
$\frac{3}{4}$ de 1 084		$\frac{4}{7}$ de 861	
$\frac{5}{8}$ de 1 704		$\frac{8}{8}$ de 5 001	

Comenta con tus compañeros y tu maestro qué operaciones realizaste para hacer los cálculos anteriores.

4. Inventa un problema que se pueda resolver con alguno de los cálculos anteriores. Con ayuda de tus compañeros y tu maestro, revisa si el problema está bien elaborado.

Cálculo de impuestos

74

1. La empleada de una tienda está calculando el 10% de impuesto que debe pagarse por diversas mercancías. Ayúdala a completar la tabla y luego responde lo que se te pide.

10%

$100	$200	$300	$500	$600	$700	$800	$1 000	$1 800	$2 700
			$50						

¿Cuántos pesos por cada 100 se cobran de impuesto? _____

¿Será correcto decir que se paga $\frac{1}{10}$ del precio de los productos como impuesto, o que se pagan $\frac{10}{100}$? _____ ¿Por qué? _____

2. Escoge el procedimiento que más te convenga para calcular 10% de las siguientes cantidades. Puedes utilizar la información de la tabla.

10%

$1 500	$2 800	$5 400	$6 600

¿Qué procedimiento utilizaste para obtener las respuestas? Anótalo en las siguientes líneas _____

_____

Comenta tu respuesta con tus compañeros.

Pedro calculó mentalmente 10% de $2 800, le resultó $280.

Paco, para calcular 10% de $2 800, se fijó que podía sumar 10% correspondiente a $1 000 y a $1 800. Entonces sumó $100 y $180 y obtuvo $280.

El procedimiento que tú utilizaste, ¿es igual al de Paco, al de Pedro, o es diferente?

_____

3. Si el impuesto fuera de 1%, ¿cuánto se pagaría por cada cien pesos? _____

• Completa la tabla siguiente. Utiliza el procedimiento que quieras para obtener las respuestas.

	$100	$200	$300		$600		$800	$1 000		$2 500
1%				$5		$7			$11	

• Calcula 1% de seis cantidades diferentes a las de la tabla anterior. Anota tus respuestas.

1%					

• Discute con tus compañeros: ¿Cómo puedes calcular 3% de las cantidades que aparecen en la tabla?, ¿y 5%?, ¿y 7%? Si llegas a alguna conclusión, anótala en tu cuaderno.

4. Calcula 40% de las siguientes cantidades. Anota los resultados en el espacio correspondiente.

40% de 1 500		40% de 2 000		40% de 3 000	
40% de 4 000		40% de 5 000		40% de 6 000	

• Utiliza tu calculadora y averigua cómo puedes utilizar la tecla % para calcular los porcentajes de este ejercicio.

5. Subraya con rojo la cantidad que creas que es mayor. Debes contestar sin usar la calculadora ni escribir los cálculos.

25% de 200   o   10% de 300

75% de 100   o   50% de 120

10% de 50   o   20% de 150

1% de 5 000   o   100% de 70

60% de 1 000   o   100% de 300

30% de 660   o   20% de 400

Busca una manera de averiguar si tu estimación fue correcta. Luego comenta tus respuestas y tus procedimientos con tus compañeros y tu maestro.

LECCIÓN 75
¿Proporcional o no proporcional?

1. **Anota sobre las líneas cuáles de las gráficas que aparecen a continuación representan una situación de proporcionalidad y cuáles no.**

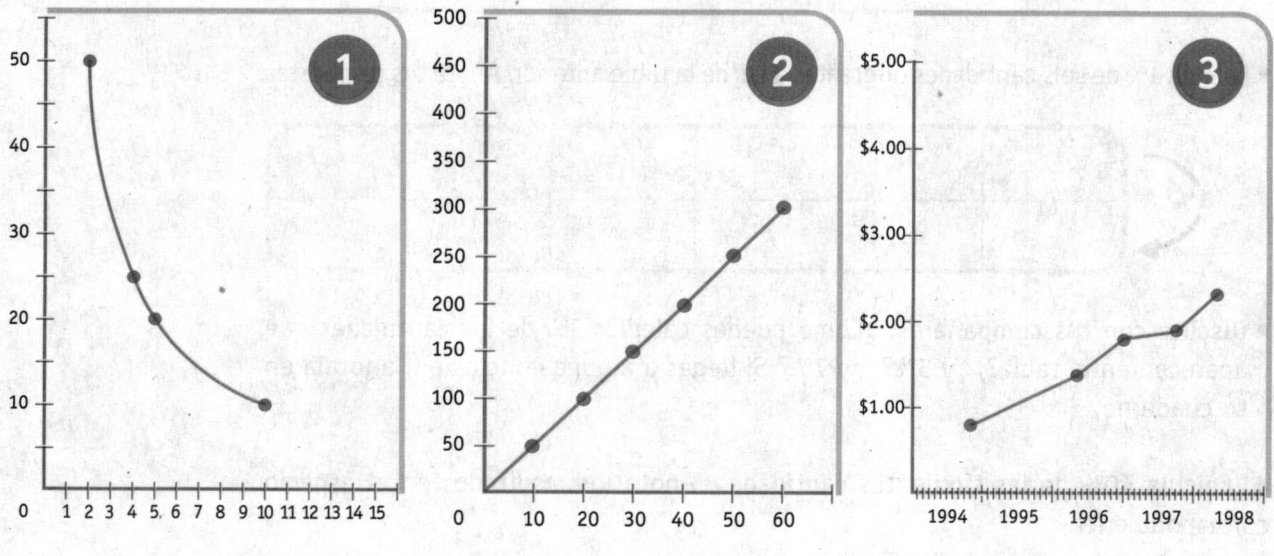

• Escribe en los cuadros el número de la gráfica que corresponda a cada situación:

- Descuento que se ofrece en una barata de artículos deportivos.

Precio del artículo	$50	$100	$125	$200	$400	$500
Descuento	$10	$20	$25	$40	$80	$100

- Se quieren distribuir 100 litros de agua en varios recipientes. Si se distribuyen en dos recipientes, se pondrán 50 litros en cada uno; si se tienen cuatro recipientes, se pondrán 25 litros en cada uno; en cinco recipientes, deberán ponerse 20 litros en cada uno; en 10 recipientes, habrá que poner 10 litros en cada uno.

- El precio de las tortillas varía con frecuencia. En diciembre de 1994 costaba $0.75 el kg, mientras que en abril de 1996 costaba $1.40 y en diciembre de ese mismo año $1.70; en agosto de 1997 $1.90, y $2.20 en febrero del año siguiente.

Compara con tus compañeros tus respuestas y comenta en qué te fijaste para obtenerlas.

2. Elabora las gráficas correspondientes a las siguientes tablas.

Tarifas que cobraron a una compañía por el envío de varios paquetes				
Peso del paquete	200 g	350 g	500 g	1 kg
Costo	$75	$100	$150	$250

Costo del dólar en pesos mexicanos el 15 de marzo de 2000					
Dólares	1	3	5	8	10
Pesos	$9.20	$27.60	$46.00	$73.60	$92.00

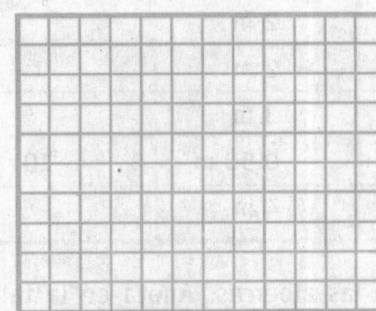 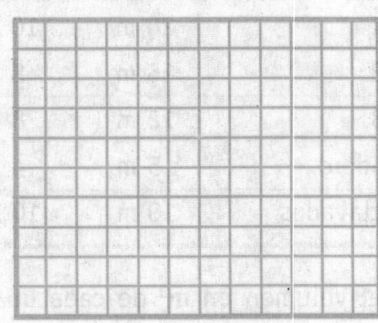

¿En cuál de las situaciones que representaste en las gráficas las cantidades son proporcionales? _____

- Observa en la lección 56 la gráfica que representa el costo del viaje en taxi: ¿Cómo es esa gráfica?, ¿en qué se diferencia de una gráfica que representa una situación de proporcionalidad? ¿Crees que las gráficas ayudan a saber cuándo una situación es de proporcionalidad y cuándo no?

 **Coméntalo con tus compañeros y tu maestro.**

A una situación de proporcionalidad directa corresponde una gráfica donde al unir los puntos, se forma una recta que pasa por el cero. La gráfica de la derecha representa una situación de proporcionalidad directa. Las gráficas ayudan a identificar cuándo hay una relación de proporcionalidad entre las cantidades.

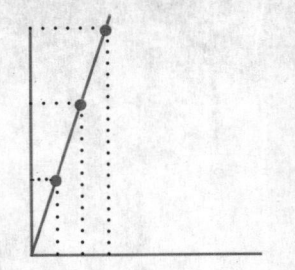

3. Con la información de las tablas o las gráficas responde:

¿Puedes saber cuántos pesos equivalen a 25 dólares? _____

¿Puedes saber cuánto costará enviar un paquete de 5 kilos? _____

¿A qué se deberá? _____

Comenta tus respuestas con tu maestro y tus compañeros.

LECCIÓN

76

Albercas y cisternas

1. **A los niños de una escuela del estado de Morelos les pidieron averiguar cuántos litros de agua caben en las albercas de un balneario. El encargado les dio las medidas de las albercas, que registraron en una tabla como la que se muestra a continuación.**

	Largo (m)	Ancho (m)	Profundidad (m)	Volumen en m³
Alberca 1	20 m	10 m	2 m	
Alberca 2	15 m	8 m	2 m	
Alberca 3	12 m	8 m	3 m	
Chapoteadero	5 m	4 m	0.50 m	10
Fosa de clavados	10 m	10 m	4 m	

• Calcula el volumen en m³ de cada una de las albercas. Anota en la tabla tus resultados.

• Explica por qué al chapoteadero le caben 10 000 litros de agua _____
_____

¿Cuántos litros de agua le caben a la alberca 3?_____

¿Cuántos litros más le caben a la fosa de clavados que a la alberca 2?_____

¿Cuántos litros de agua se necesitan para llenar las tres albercas?_____

2. Los niños se enteraron que tanto en su escuela como en otros edificios se usan cisternas para almacenar el agua. Los datos que obtuvieron sobre la capacidad de las cisternas se muestran en la siguiente tabla.

Cisterna	Capacidad en litros
Escuela	60 000 l
Clínica	144 000 l
Palacio Municipal	12 000 l
Mercado	40 000 l

- Haz lo que consideres necesario para saber a qué lugar pertenece cada una de las cisternas dibujadas. Registra el nombre del lugar debajo del dibujo que le corresponda.

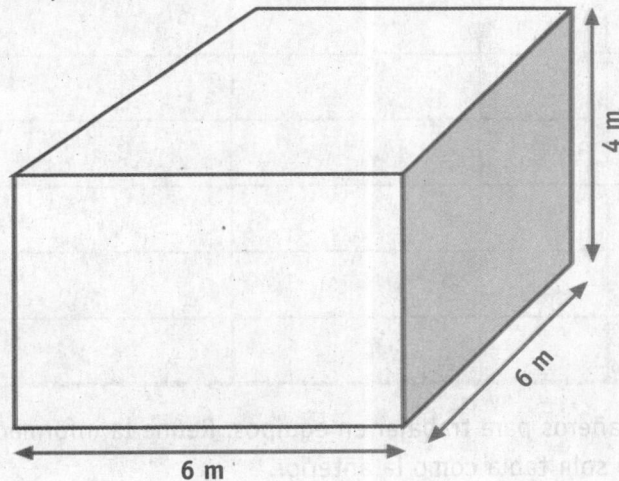

6 m · 6 m · 4 m

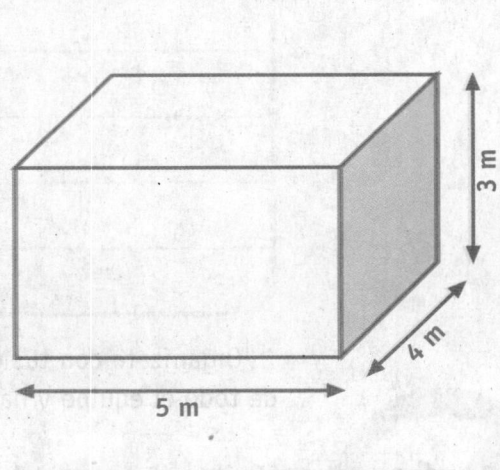

5 m · 4 m · 3 m

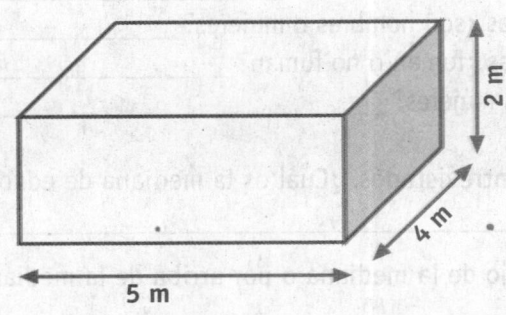

5 m · 4 m · 2 m

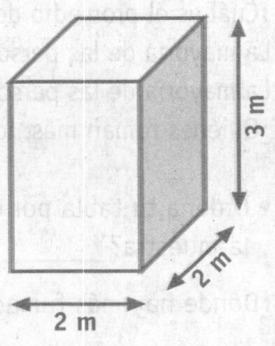

2 m · 2 m · 3 m

LECCIÓN 77 — Estadísticas sobre los fumadores

1. Revisa la lección 23 (página 110) de tu libro de *Ciencias Naturales*, "El tabaco y el alcohol dañan la salud". En esa lección aparece una gráfica de barras en la que se muestra el porcentaje de fumadores y fumadoras por grupos de edad que había en México en 1993. Con todo el grupo haz una investigación para saber cuántos fumadores y fumadoras hay en tu colonia o comunidad. Para hacer esta investigación hay que comenzar por una encuesta.

- Entrevista a seis personas mayores de 12 años que conozcas, pueden ser tus padres, hermanos, tíos, primos, abuelos, amigos, vecinos o trabajadores de los comercios cercanos a tu casa.

- Copia en tu cuaderno la tabla siguiente y complétala con los datos de tus entrevistas.

Persona entrevistada	Edad	Hombre/Mujer	Fuma/No fuma

2. Organízate con tus compañeros para trabajar en equipos. Reúne la información de todo el equipo y haz una sola tabla como la anterior.

¿Cuál es el promedio de edad de las personas entrevistadas? _____

¿Cuál es el promedio de edad de las personas que fuman? _____

La mayoría de las personas entrevistadas ¿son hombres o mujeres? _____

La mayoría de las personas entrevistadas ¿fuman o no fuman? _____

¿Quiénes fuman más, los hombres o las mujeres? _____

- Ordena tu tabla por edades de los entrevistados. ¿Cuál es la mediana de edad de la muestra? _____

¿Dónde hay más fumadores, por debajo de la mediana o por arriba de la mediana?

_____

3. Separa tus datos por grupos de edad (de 12 a 18, 19 a 25, 26 a 34, 35 a 44, 45 o más) y haz una tabla como la siguiente.

	Fuman		Sexo	
Edad	Sí	No	Mujer	Hombre
12-18				
19-25				
26-34				
35-44				
45 o más				

¿En qué grupo de edad hay más fumadores (hombres)? _____

¿En qué grupo de edad hay más fumadoras (mujeres)? _____

- Haz una gráfica de barras como la que aparece en la página 110 del libro de *Ciencias Naturales*. Compara tu gráfica con la del libro, ¿en qué se parecen y en qué difieren? _____
_____

4. Reúne los datos de todos los equipos y haz una sola tabla en el pizarrón.

- Calcula el promedio de edad de la muestra _____

La mayoría de las personas entrevistadas ¿son hombres o mujeres?

_____

La mayoría de las personas entrevistadas ¿fuman o no fuman? _____

¿Quiénes fuman más los hombres o las mujeres? _____

5. Con los datos de tu tabla haz una gráfica como la de la página 110 de tu libro de Ciencias Naturales y compara tus resultados con los que había en el país en 1993.

Cuando se quiere conocer alguna característica de un grupo de personas o de objetos, en lugar de examinar al grupo entero, denominado población o universo, con frecuencia se opta por examinar una parte de ese grupo; esa parte se llama muestra. En la investigación que hicieron sobre los fumadores, la población son las personas mayores de 12 años que viven en su colonia o comunidad, y la muestra es el grupo de personas entrevistadas.

LECCIÓN

Material deportivo

78

1. Para practicar sus deportes favoritos, cada grupo compró un balón de basquetbol, uno de futbol, uno de volibol y una bomba para inflar. ¿Cuánto gastó cada grupo en total? _____

$154.00

$129.00

$75.00

$139.00

2. En cada grupo, el costo total fue repartido en partes iguales. ¿Cuánto pagó cada alumno en cada grupo? Anota los resultados en la siguiente tabla.

Grado	Número de alumnos	Costo total	Costo por alumno
3°	48		
4°	42		
5°	35		
6°	24		

3. Analiza los resultados de la tabla y verifica lo siguiente.

Sólo en un grupo el costo por alumno sale exacto. ¿Cuál es este grupo?

_____

• Comprueba que si multiplicas el costo exacto por alumno por el número de alumnos de ese grupo obtendrás como resultado 497 pesos.

Un alumno de 6° pagará el doble que un alumno de 3°. ¿Por qué crees que sucede esto? _____

_____

4. En México, la moneda de menor valor es de 5 centavos. Para que alcanzara el dinero para la compra, tres grupos tuvieron que aumentar los centavos de la siguiente manera.

> 3° de 35 a 40 centavos
>
> 4° de 83 a 85 centavos
>
> 6° de 70 a 75 centavos

¿Cuánto sobrará en cada uno de estos grupos?

3° _____ 4° _____ 6° _____

Para calcular el costo por alumno puedes usar la división, como se muestra en el siguiente ejemplo. Se reparten 497 pesos entre 32 alumnos.

$$
\begin{array}{r}
15.53 \ \text{(se puede aumentar a \$ 15.55)} \\
32 \overline{\smash{)}497} \\
-32 \\
\hline
177 \\
-160 \\
\hline
170 \ \text{(décimos)} \\
160 \\
\hline
100 \ \text{(centésimos)} \\
96 \\
\hline
04
\end{array}
$$

LECCIÓN

Las unidades de capacidad

79

1. En la lección 72 trabajaste con las unidades de capacidad. Algunos productos, como la pintura, se venden en galones. Un galón equivale a 3.79 litros, y se puede escribir en una tabla como la siguiente.

Kilolitro	Hectolitro	Decalitro	Litro	Decilitro	Centilitro	Mililitro
kl	hl	dal	l	dl	cl	ml
			3	7	9	.

¿Un galón es lo mismo que 3 790 mililitros?_____ ¿Por qué?_____

_____

¿A cuántos mililitros es igual un litro?_____

¿A cuántos mililitros es igual $\frac{1}{10}$ de litro? _____

¿A cuántos mililitros es igual $\frac{1}{100}$ de litro?_____

Los padres de familia de una escuela le compraron tres galones de pintura a don Jesús para pintar la escuela. Don Jesús sólo utilizó 10.5 litros. ¿Qué cantidad de pintura sobró? _____

Don Jesús comentó que para pintar el Palacio Municipal se usaron 20 galones de pintura. ¿A cuántos decalitros equivale esa cantidad? _____

2. Expresa las cantidades como se indica.

	Unidad: litros		Unidad: mililitros
	Con fracciones	Con notación decimal	
Un litro y medio	$1\frac{1}{2}$ litros	1.5 l	1 500 ml
Dos litros y un cuarto			
Un litro y 125 mililitros			
Un litro y dos decilitros			
Un octavo de litro			

3. Resuelve los siguientes problemas.

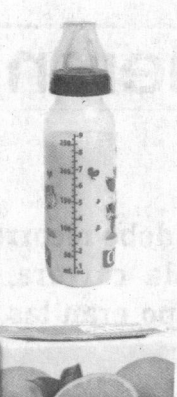

El hijo de Joel toma cinco biberones de leche al día. Al biberón le caben 250 ml. ¿Cuántos litros de leche toma cada día?

_____

Al tanque de gasolina del coche de Joel le caben 45 litros. Joel cargó gasolina y el tanque se llenó con 39.8 litros. ¿Qué cantidad de gasolina tenía el tanque?

_____

CONT. NET. 250 ml

Ramón y sus amigos se tomaron 12 jugos como el que se muestra. ¿Cuántos litros de jugo se tomaron?

_____

| 125 ml | $\frac{1}{4}$ l | $\frac{1}{2}$ l | 1 l | 9.625 l |

4. La cubeta se quiere llenar usando los recipientes que se muestran.

Armando usó 15 veces el recipiente de $\frac{1}{2}$ l, y todavía le faltó usar otros recipientes para llenar la cubeta. ¿Qué otras unidades tuvo que usar para llenarla?_____
Explica tu respuesta _____
_____
_____

Luisa llenó la cubeta. Usó 20 veces el recipiente de 125 ml y acabó de llenarla con el recipiente de $\frac{1}{2}$ l. ¿Cuántas veces usó el recipiente de $\frac{1}{2}$ l?_____

Pablo llenó la cubeta. Usó todos los recipientes. ¿Cómo pudo Pablo combinar los recipientes? _____
_____

LECCIÓN

¿Qué distancia recorrieron?

80

1. En unas competencias de ciclismo, el circuito que debe recorrerse mide 12.5 km. Una hora después de iniciada la carrera, las posiciones de los ciclistas que encabezaban el grupo eran las que se muestran en la tabla:

Competidor	Número de vueltas	Kilómetros recorridos
Marcelo Veloz	3.9	
Gastón Martínez	3.75	
Miguel Hernández	3.5	
Daniel Domínguez	3.25	
Sebastián Salgado	3.10	
Valentín Blanco	3.10	
Ricardo Moreno	3.0	

© Scott Markewitz

• Junto con tu compañero, averigua cuántos kilómetros habían recorrido los ciclistas una hora después de iniciada la carrera. Anota los resultados en la tabla de arriba. Luego comunica a los otros compañeros tus resultados y tus procedimientos.

• Anota en tu cuaderno las operaciones que hayas realizado para completar la tercera columna de la tabla.

2. Para saber cuántos kilómetros había recorrido Daniel Domínguez, Pedro y Paula utilizaron los siguientes procedimientos.

Pedro	
	12.5
+	12.5
	12.5
	3.125
	40.625

Paula	
	12.5
×	3.25
	625
	250
	375
	40.625

• Contesta lo siguiente:

¿Utilizaste alguno de estos dos procedimientos para resolver las preguntas de la página anterior? _____

¿Por qué Pedro sumó tres veces 12.5 y además 3.125?_____

¿Qué multiplicación tendrás que hacer para obtener el mismo resultado que se obtiene al sumar 12.5 + 12.5 + 12.5 + 6.25? _____

• Comprueba tu respuesta haciendo las operaciones.

3. Utiliza el procedimiento de Pedro y el de Paula para calcular la distancia recorrida por Sebastián Salgado. Haz las operaciones en tu cuaderno.

• Utiliza el procedimiento de Paula para calcular las distancias recorridas por todos los ciclistas que aparecen en la tabla. Luego comprueba sumando, como hizo Pedro. Puedes ayudarte con la calculadora.

4. ¿Qué ventaja, en kilómetros, le lleva Valentín Blanco a Ricardo Moreno?

_____

¿Cuánto más ha recorrido Miguel Hernández que Sebastián Salgado?

_____

Si la carrera es de 125 km, ¿cuánto le falta por recorrer a Marcelo Veloz?

_____

LECCIÓN 81 | El juego de la ruleta

1. Marcos, Martina y Mauricio están jugando con una ruleta como la que aparece en la figura de la derecha.

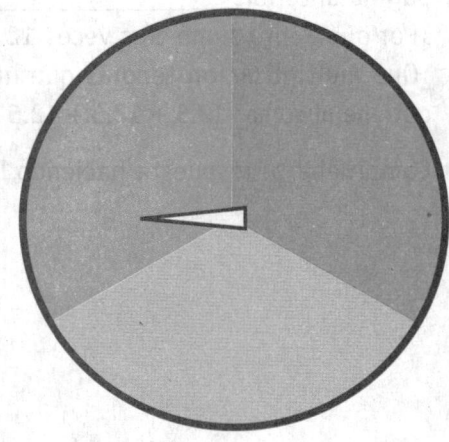

Si al girar la ruleta la aguja se detiene en el sector naranja, gana Marcos; si se detiene en el sector azul, gana Martina y si se detiene en el verde, gana Mauricio.

¿Cuántos sectores hay en total? _____

¿Quién crees que tenga más oportunidades de ganar? _____

¿Por qué? _____

_____

Si los sectores tienen la misma forma y tamaño, decimos que es igualmente probable que la aguja se detenga en cualquiera de ellos.

Completa la siguiente información.

$$\text{Probabilidad de que salga naranja} = \frac{\text{Número de sectores naranjas}}{\text{Número total de sectores}} = \underline{\hspace{3cm}}$$

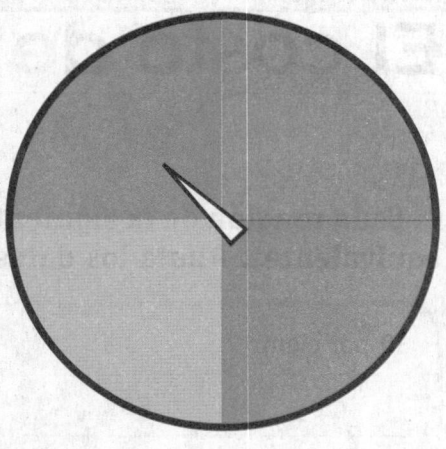

2. Ahora, la ruleta tiene cuatro sectores del mismo tamaño: dos naranjas, uno verde y uno azul. Marcos, Martina y Mauricio siguen jugando: si después de girar la aguja, ésta se detiene en alguno de los sectores naranja, gana Marcos, si se detiene en azul, gana Martina y si se detiene en verde, gana Mauricio.

¿Quién tendrá ahora más oportunidades de ganar? _____

¿Por qué? _____

¿Qué color es más probable que salga? _____

¿Por qué? _____

¿Cuántos sectores hay en total? _____

¿Cuántos sectores naranja hay? _____

¿Cuál es la probabilidad de que salga naranja? _____

¿Cuál es la probabilidad de que gane Martina? _____

¿Por qué? _____

_____

3. Ahora, la ruleta tiene 10 sectores. Supón que todos los sectores son iguales en forma y tamaño y completa la tabla siguiente.

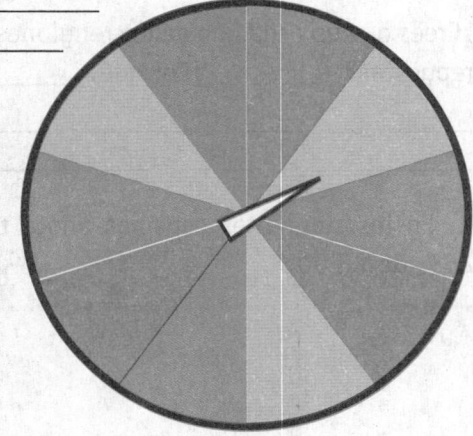

Total de sectores	Naranja	Verde	Azul

¿Cuál es la probabilidad de que salga verde? _____

¿Cuál es la probabilidad de que salga naranja? _____

¿Cuál es la probabilidad de que salga azul? _____

¿Quién es más probable que gane? _____,

¿Por qué? _____

¿Por qué no es seguro que gane? _____

Comenta tus respuestas con tus compañeros y tu profesor.

LECCIÓN

El costo de los boletos

82

1. Cada renglón de la siguiente tabla contiene expresiones que son equivalentes. Anota los datos que hacen falta.

30 por ciento		$\frac{30}{100}$	$\frac{3}{10}$	.30
	75%			.75
		$\frac{45}{100}$	$\frac{9}{20}$	
40 por ciento				
				.80

¿Qué título le pondrías a esta tabla? Coméntalo con un compañero y anótalo.

_____

¿Qué título le pondrías a la cuarta columna? _____

_____

¿Crees que en cada uno de los renglones de la cuarta columna podría haber distintas repuestas? _____ ¿Por qué? _____

_____

_____

2. En los siguientes espacios anota tres procedimientos distintos para calcular 25% de 2 500.

• Compara tus procedimientos con los que utilizaron otros compañeros.

¿Cuál o cuáles de todos los procedimientos crees que convenga más utilizar?

_____

¿Por qué? _____

Coméntalo con tu maestro y tus compañeros.

3. Responde las preguntas utilizando los procedimientos que te convengan.

TORNEO DE FUTBOL PROFESIONAL

Abono para los 12 partidos	$600
Boletos comprados en la semana del partido	$55
Envío por correo	10% de recargo
Boletos comprados con un mes de anticipación	**15% de descuento**
Compra con dos semanas de anticipación	10% de descuento
Plan familiar: más de cuatro boletos	5% de descuento adicional

¿Cuánto costará un abono para la temporada de futbol si se compra con un mes de anticipación? _____

¿Cuánto costará el abono si se paga con dos semanas de anticipación? _____
_____

¿Cuánto costarán 10 boletos para el partido inicial si se compran tres días antes del partido y se aprovecha el plan familiar? _____

¿Cuánto costarán dos boletos comprados en la semana del partido si se envían por correo? _____

El papá de Lupe compró tres boletos y le cobraron $148.50. ¿Con qué anticipación los compró? _____

El hermano de Rosa compró cuatro boletos y por ellos pagó $187. ¿Los compró con igual, mayor o menor anticipación que el papá de Lupe? _____
_____

Comenta tus respuestas y tus procedimientos con tu maestro y tus compañeros.

LECCIÓN
La papelería

83

1. El dueño de la papelería "La goma" compra varios productos por paquete o por caja, pero le interesa conocer el precio por unidad para saber en cuánto puede venderlos. Ayúdale al dueño de la papelería a realizar los cálculos.

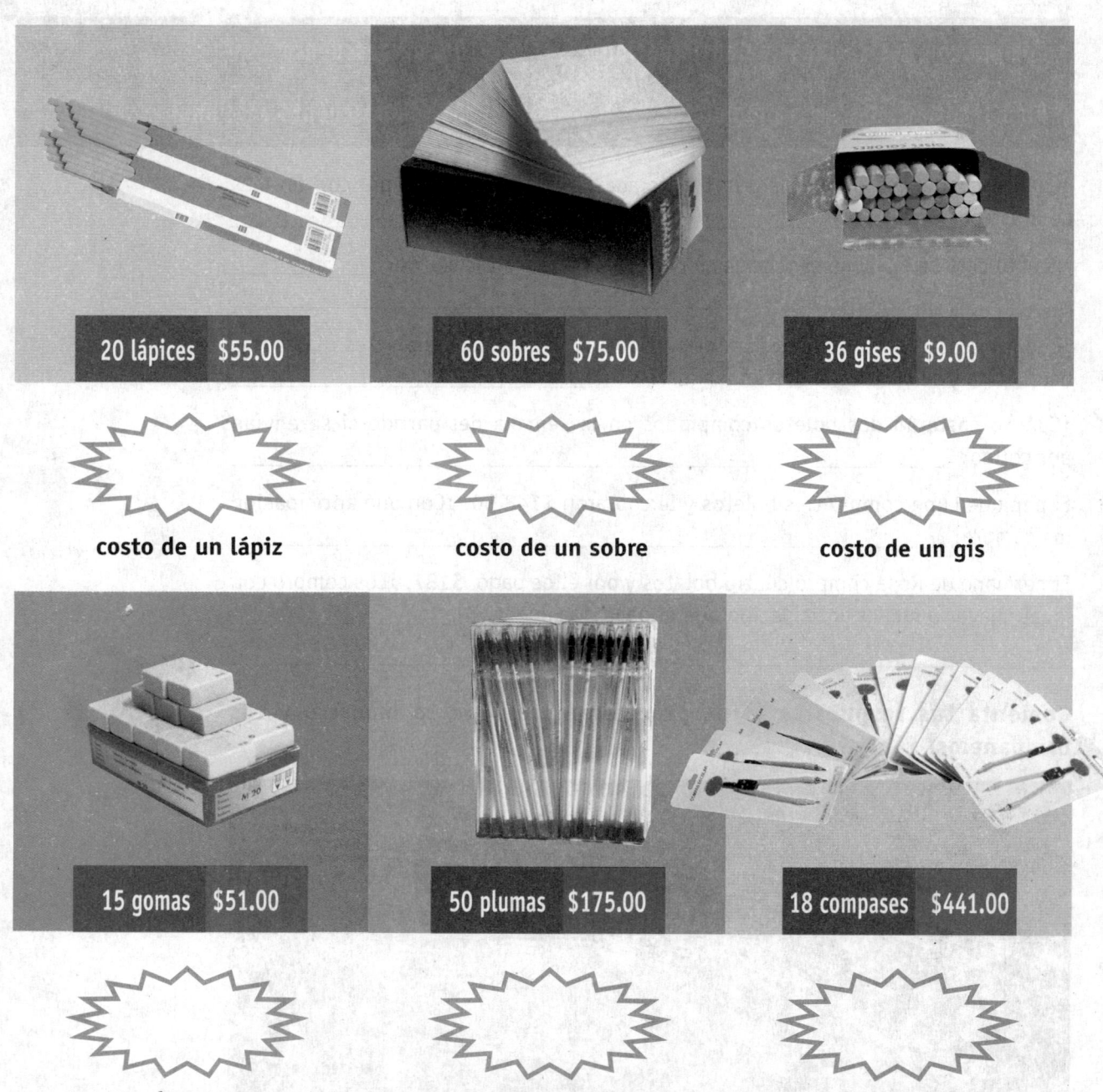

| 20 lápices $55.00 | 60 sobres $75.00 | 36 gises $9.00 |

costo de un lápiz   costo de un sobre   costo de un gis

| 15 gomas $51.00 | 50 plumas $175.00 | 18 compases $441.00 |

costo de una goma   costo de una pluma   costo de un compás

Compara tus resultados con los de tus compañeros.

2. Completa la siguiente nota de remisión con las cantidades que se indican.

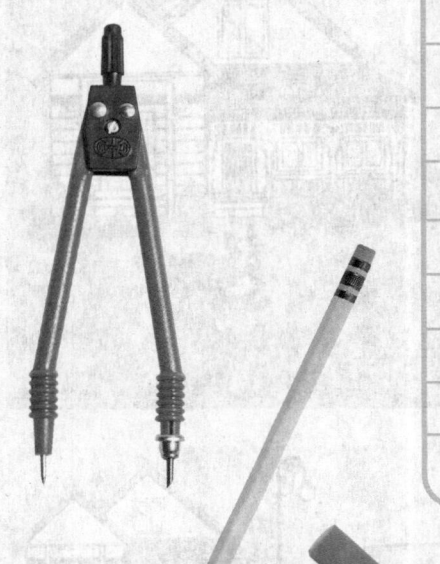

NOTA DE REMISIÓN PAPELERÍA "LA GOMA"		
Fecha		
Cantidad	Artículo	Costo
10	lápices	
20	sobres	
5	gomas	
10	plumas	
6	compases	
4	gises	
	Total	

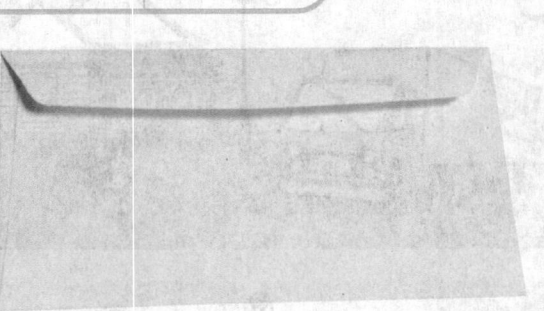

• Verifica los siguientes cálculos.

Costo de 10 lápices	= la mitad del costo de 20 lápices	$= \frac{1}{2}$ de 55	=
Costo de 20 sobres	= la tercera parte del costo de 60 sobres	$= \frac{1}{3}$ de 75	=
Costo de 5 gomas	= la tercera parte del costo de 15 gomas	$= \frac{1}{3}$ de 51	=
Costo de 10 plumas	= la quinta parte del costo de 50 plumas	$= \frac{1}{5}$ de 175	=
Costo de 6 compases	= la tercera parte del costo de 18 compases	$= \frac{1}{3}$ de 441	=
Costo de 4 gises	= la novena parte del costo de 36 gises	$= \frac{1}{9}$ de 36	=

LECCIÓN

Las reproducciones a escala

84

1. Observa los cuatro dibujos a, b, c y d. ¿Cuál de ellos es una reproducción a escala del dibujo enmarcado en rojo? _____

- Explica por qué los otros dibujos no son reproducciones a escala del enmarcado en rojo _____

_____

_____

_____

_____

2. En una hoja cuadriculada, toma los cuadritos como referencia y reproduce la ilustración del siguiente coche.

• Ahora haz un dibujo del coche en el que los lados sean cuatro veces más grandes.

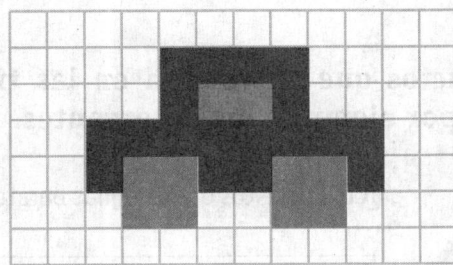

3. Se quiere hacer una ampliación de la siguiente imagen. El lado que mide 4 cm en el dibujo debe medir 8 cm en la ampliación. Dibuja la imagen ampliada en una cartulina.

Comenta con tu maestro y tus compañeros la siguiente información:

Dos dibujos están a escala si tienen la misma forma y si al multiplicar o dividir, por un mismo número, cada una de las medidas de un dibujo se obtienen las medidas del otro.

LECCIÓN

Para comparar precios

85

1. **Muchos productos que se venden en las tiendas aparecen en varios tamaños, por ejemplo, los detergentes.**

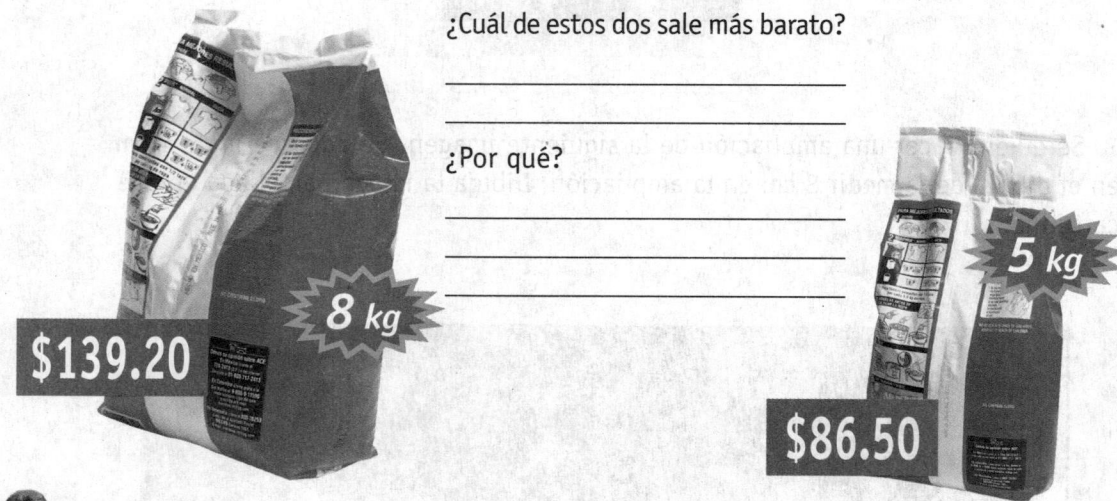

¿Cuál de estos dos sale más barato?

_____

_____

¿Por qué?

_____

_____

_____

$139.20   8 kg

5 kg

$86.50

Comenta con tus compañeros y tu maestro el procedimiento que usaste para resolver el problema.

2. De los siguientes tipos de productos, averigua cuál de los dos tamaños sale más barato y márcalo con una cruz.

Producto	Tamaño			
	Chico	Precio	Mediano	Precio
Chiles en rajas	100 g	$2.50	200 g	$4.40
Mayonesa	190 g	$10.20	390 g	$13.50
Mermelada	300 g	$9.50	550 g	$18.65
Café	50 g	$8.95	100 g	$19.50
Miel	300 g	$17.55	380 g	$22.40
Papel higiénico	Paquete con 6 rollos	$13.45	Paquete con 12 rollos	$26.20

- En algunos casos es muy fácil saber cuál de dos productos sale más barato. Por ejemplo, los chiles en rajas sale más barato comprarlos en lata mediana que en lata chica. Explica por qué _____

_____

¿En cuáles otros productos supiste fácilmente cuál tamaño sale más barato?
_____
_____

Además de los chiles en rajas, hay otros dos productos en los que sale más barato comprar el tamaño mediano. ¿Cuáles son? _____
_____

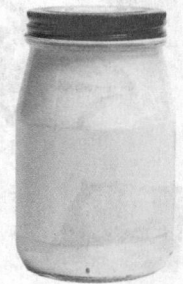

3. Para resolver el problema número 1, Pati y Norma comenzaron estos procedimientos. Ayúdalas a completarlos.

Pati hizo dos divisiones:

```
      17.4                  1
 8 | 139.20            5 | 86.50
   -8                    -5
    59                    36
   -56
    032
```

¿Qué quería saber Pati con estas divisiones? _____
_____
_____
_____
_____
_____

Norma hizo dos tablas:

kg	costo	kg	costo
8	139.20	5	86.50
4	69.60	10	
16		20	
20			

¿Qué quería saber Norma con estas tablas? _____
_____
_____
_____
_____
_____

LECCIÓN

86 Las unidades de peso

1. Une con una línea lo que se quiere pesar con la unidad que conviene utilizar.

centigramo	cg
decagramo	dag
kilogramo	kg
gramo	g
hectogramo	hg
decigramo	dg
miligramo	mg

• ¿Encontraste cosas en las que puedes usar dos unidades diferentes? _____

Comenta tu respuesta con tu maestro y tus compañeros.

2. Diez unidades de un mismo tipo dan el mismo peso que la unidad inmediatamente mayor. Las unidades de peso se ordenan de mayor a menor de la siguiente manera.

| kg | hg | dag | g | dg | cg | mg |

• Con esta información completa los datos que faltan en las tablas.

	es lo mismo que
1 kilogramo	gramos
1 decagramo	kilogramos
1 gramo	centigramos

	es lo mismo que
1 hectogramo	gramos
1 decigramo	miligramos
1 centigramo	gramos

	es lo mismo que
1 kilogramo	gramos
$\frac{1}{2}$ kilogramo	gramos

	es lo mismo que
$\frac{1}{4}$ kilogramo	gramos
$\frac{3}{4}$ kilogramo	gramos

3. Marcia sabe hacer chiles en nogada. Su prima le pidió la receta, pero Marcia, en lugar de darle las cantidades en kilogramos y gramos, se las dio escritas en una tabla como la siguiente.

Ingredientes	kg	hg	dag	g	dg	cg	mg
Chiles poblanos	3		50				
Carne molida de res		20		500			
Carne molida de puerco			150				
Pasas	$\frac{1}{2}$			150			
Duraznos			75				
Nueces				450			
Crema				1750			
Manzanas			56				

Cuando la prima de Marcia pidió 3 kilogramos de chiles y 50 decagramos, la vendedora no entendió. ¿Cómo puede pedirse esa cantidad en kilogramos?

_____

¿Cuántos kilos más de carne molida de res se necesitan que de carne de puerco?

_____

Si la prima de Marcia quiere comprar un kilo de pasas. ¿Cuántos gramos más comprará de los necesarios para preparar los chiles?

_____

La prima de Marcia registró de diferentes maneras en el siguiente cuadro lo que se necesita de crema. Pero un registro está mal.

• Observa el cuadro, encuentra el error y márcalo con una cruz.

1.750 kg	1 kg y 750 g	175 kg	1 kg, $\frac{1}{2}$ kg y $\frac{1}{4}$ kg

Comenta con tu maestro y tus compañeros cómo encontraste el registro incorrecto.

LECCIÓN **Sumas y dados**

87

1. Jorge y Gabriela están jugando con dos dados iguales que tienen en cada una de sus caras un número del uno al seis.

Si al caer los dados la suma de los dos números es seis o menos, gana Gabriela; si la suma es mayor o igual a siete, gana Jorge. ¿Quién crees que tenga más oportunidades de ganar?

_____

¿Por qué? _____

_____

Coméntalo con tus compañeros.

¿Cuántos posibles resultados hay? _____

• Completa la tabla siguiente para comprobar tus respuestas.

Números de dados		Suma	Gana
1	1		Gabriela
1			
1			
1			
1			
1			
2			
	2	4	
3		7	Jorge

Números de dados		Suma	Gana
		5	
		8	
4			
	3		
		10	
4			
	6	12	

¿Cuántas oportunidades de ganar tiene Gabriela? _____

¿Cuántas oportunidades tiene Jorge? _____

¿Cuál es la probabilidad de que gane Gabriela? _____

• Recuerda que:

$$\text{Probabilidad de que gane Gabriela} = \frac{\text{Número de resultados en los que gana Gabriela}}{\text{Número total de resultados posibles}} = \text{_____}$$

¿Cuál es la probabilidad de que gane Jorge? _____

¿Por qué? _____

¿Con quién jugarías tú? _____

2. Con los datos de la tabla anterior contesta las siguientes preguntas y coméntalas con tus compañeros.

¿Qué es más probable, que salga siete o que salga 10? _____

¿Por qué? _____

¿Qué números tienen menor probabilidad de salir? _____

¿Por qué? _____

¿Cuáles tienen mayor probabilidad? _____

¿Por qué? _____

¿Qué es más probable, que salga un número par o que salga un número impar?
_____

¿Cuál es la probabilidad de que salga 13? _____

¿Por qué? _____

¿Cuál es la probabilidad de que salga un 4 cuando tiras un solo dado? _____

3. Usando la probabilidad podemos predecir cuántas veces, aproximadamente, va a salir un número. Por ejemplo, si lanzas un solo dado, la probabilidad de que salga 4 es $\frac{1}{6}$, esto quiere decir que si lanzas el dado 18 veces, probablemente salga el número 4 en tres ocasiones.

- Juega con un compañero. Primero completa la columna de "Predicción" en la tabla, después lanza un dado 100 veces y anota las veces que salió 4 cuando lleves 12, 18, 36, 60 y 100 tiradas.

| Número | Número de veces que sale 4 | | Diferencia entre la |
de tiradas	Predicción	Resultado	predicción y el resultado
12	2		
18	3		
36			
60			
100			

- Combina tus resultados con los de otra pareja de compañeros y anota cuántas veces salió 4 en 200 tiradas. Completa el último renglón de la tabla.

- Discute con tus compañeros, ¿por qué la predicción no siempre es igual al resultado real?
  ¿Qué sucede cuando aumenta el número de tiradas? _____
  ¿Cuántas veces crees que saldrá 4 si lanzas el dado 10 000 veces? _____
  ¿Crees que en este caso tu resultado real será casi igual a tu predicción? _____
  ¿Por qué? _____

Comenta con tus compañeros y tu profesor en qué casos puede ser útil conocer la probabilidad de un evento.

Referencias fotográficas

Ascher, Marcia y Robert Ascher. *Code of the Quipu. A study in Media, Mathematics and Culture*. Michigan, The University of Michigan Press, 1981, pp. 10 y 34.

Books of hours. Londres, Phaidon Press Limited, 1996, p. 47.

Canaday, John. *Metropolitan Seminars in art*. Nueva York, The Metropolitan Museum of Art, 1958 (Portfolio 4/Abstraction), p. 28.

Crops of the future. Science and agriculture. México, Pulsar/Editorial Jilguero, 1996, p. 71. (Fotografía: André Cabrolier.)

Delf, Brian y Richard Platt. *Desde el principio. La historia casi completa de casi todo*. México, Aguilar, Altea, Taurus, Alfaguara, 1995, pp. 60 y 61.

Duncan, David Douglas. *The world of Allah*. Boston, Houghton Mifflin Company, 1982, p. 40.

El antiguo Egipto. Madrid, Santillana, 1991 (Biblioteca Visual Altea), pp. 8, 18, 39 y 52.

Enciclopedia Hispánica. México, Encyclopaedia Britannica Publishers, Inc., 1995-1996, vol. 9, p. 241.

Egipto antiguo. México, TIME-LIFE/Ediciones Culturales Internacionales, 1988 (Las grandes épocas de la humanidad), p. 23.

Farndon, John. *How the earth works*. Londres, Dorling Kindersley, 1997 (Eyewitness Science Guides), p. 147.

La arqueología mexicana en el umbral del siglo XXI. Proyectos especiales de arqueología. México, Consejo Nacional para la Cultura y las Artes/Instituto Nacional de Antropología e Historia, 1994, p. 15.

La cocina veracruzana. México, Gobierno del estado de Veracruz, 1992, pp. 71 y 125. (Fotografías: Michel Zabé.)

National Geographic. Washington, National Geographic Society, vol. 174, núm. 1, julio 1988, pp. 100 y 102.

National Geographic. Washington, National Geographic Society, vol. 174, núm. 4, octubre 1988, pp. 512 y 513.

Nelson, David, George Gheverghese, Joseph y Julian Williams. *Multicultural Mathematics*. Gran Bretaña, Oxford University Press, 1993 (Oxford Paperbacks), p. 147.

Niños como yo. México, Unicef/Editorial Diana/Dorling Kindersley, 1995, pp 8, 9, 24, 35, 47 y 64.

Procter & Gamble de México. 50 Aniversario. México, Editorial Jilguero, 1991, p. 134.

Scarre, Chris. *Cronos. La historia visual de nuestra civilización desde los orígenes del hombre hasta el 1500*. Londres, Dorling Kindersley, 1993, pp. 12, 99, 135, 155, 163, 238.

Sonora, opportunities in the northwest of Mexico. México, Gobierno del estado de Sonora, 1994, p. 24.

Sebastián. El lenguaje del universo. México, Editorial Jilguero/Grupo Cementos de Chihuahua, p. 90. (Fotografía: Ignacio Guevara.)

The world of M. C. Escher. Nueva York, Harry N. Abrams, Inc., 1971, pp. 112 y 233.

Toda una selección: México. México, Américo Arte Editores, 1994, pp. 97 y 109. (Fotografías: David Leah.)

Too, Lillian. *Guía completa ilustrada del Feng Shui*. Barcelona, Ediciones Oniro, 1998, pp. 84 y 85.

Van Rhijn, Patricia. *El libro del chile*. México, Grupo Azabache, 1993, p. 119. (Fotografía: Ignacio Urquiza.)

Vorderman, Carol. *How mathematics works*. Londres, Dorling Kindersley, 1997 (Eyewitness Science Guides), pp. 19, 35, 160 y 174.

Matemáticas. Quinto grado

Se imprimió por encargo de la Comisión Nacional de Libros de Texto Gratuitos,
en los talleres de Gráficas La Prensa, S. A. de C. V.,
con domicilio en Prolongación de Pino núm. 577,
Col. Arenal México, C. P. 02980, México, D. F.,
el mes de octubre de 2002.
El tiraje fue de 2'893,800 ejemplares, mas sobrantes para reposición.

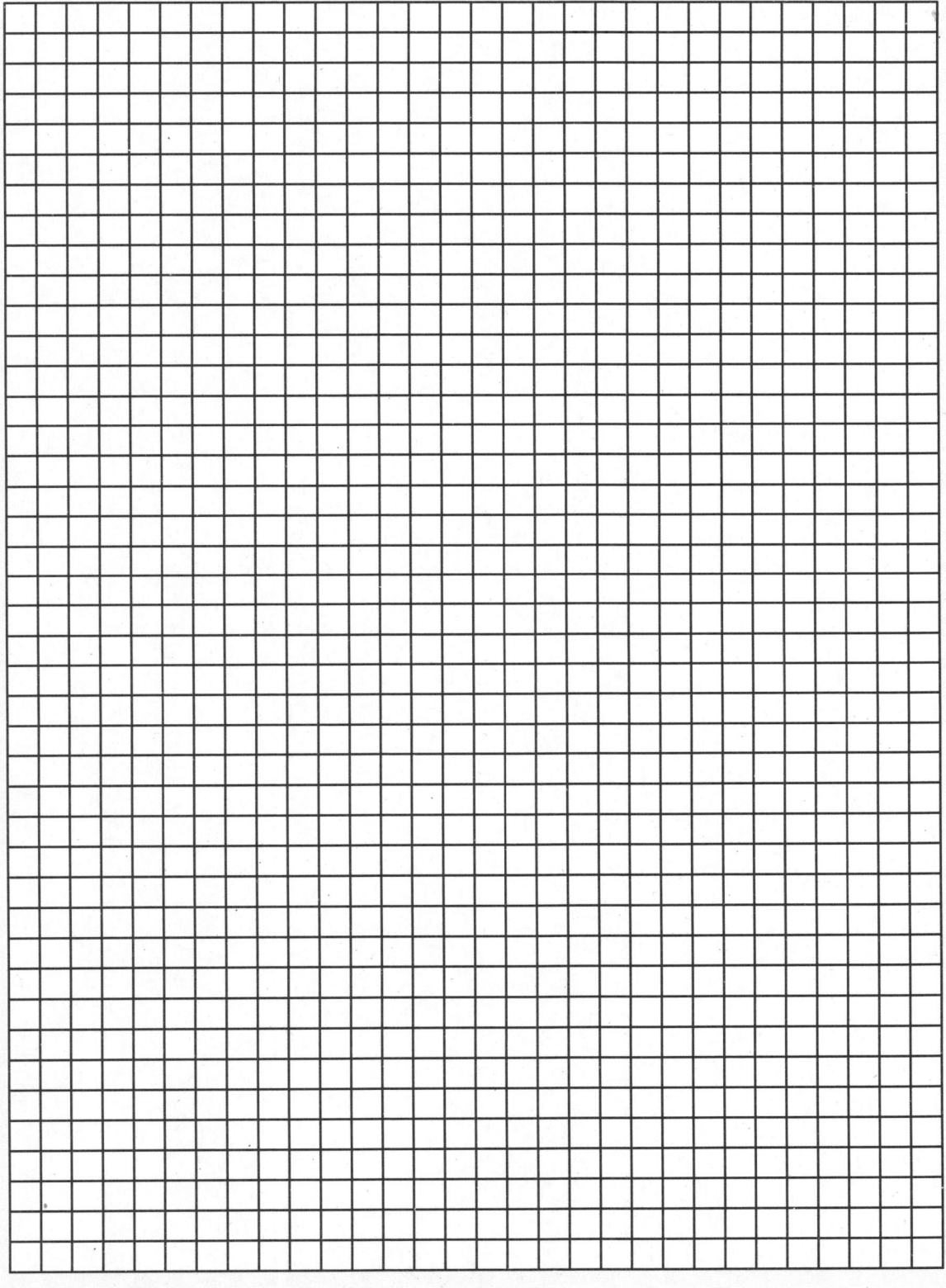

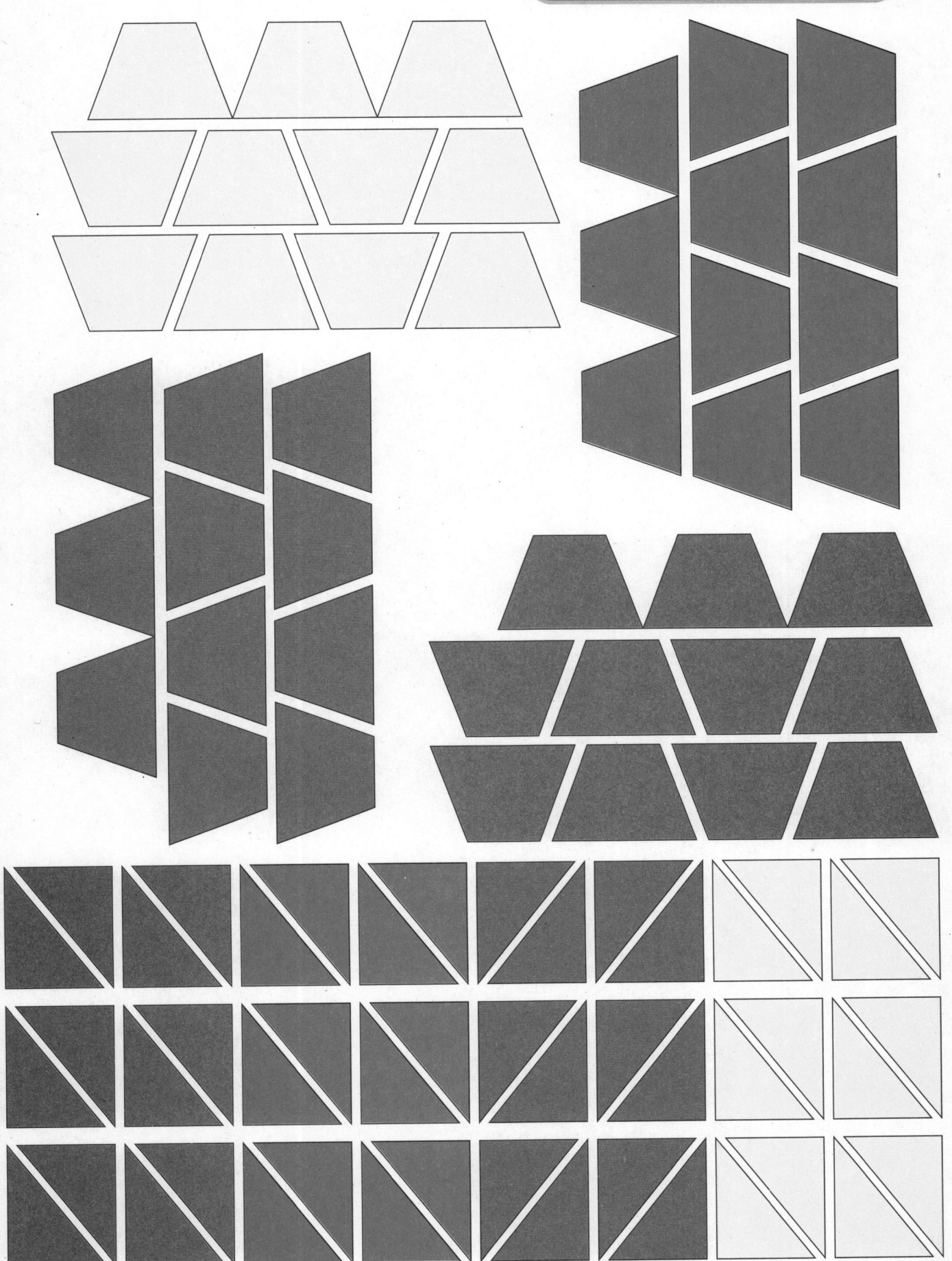

Material recortable número 5

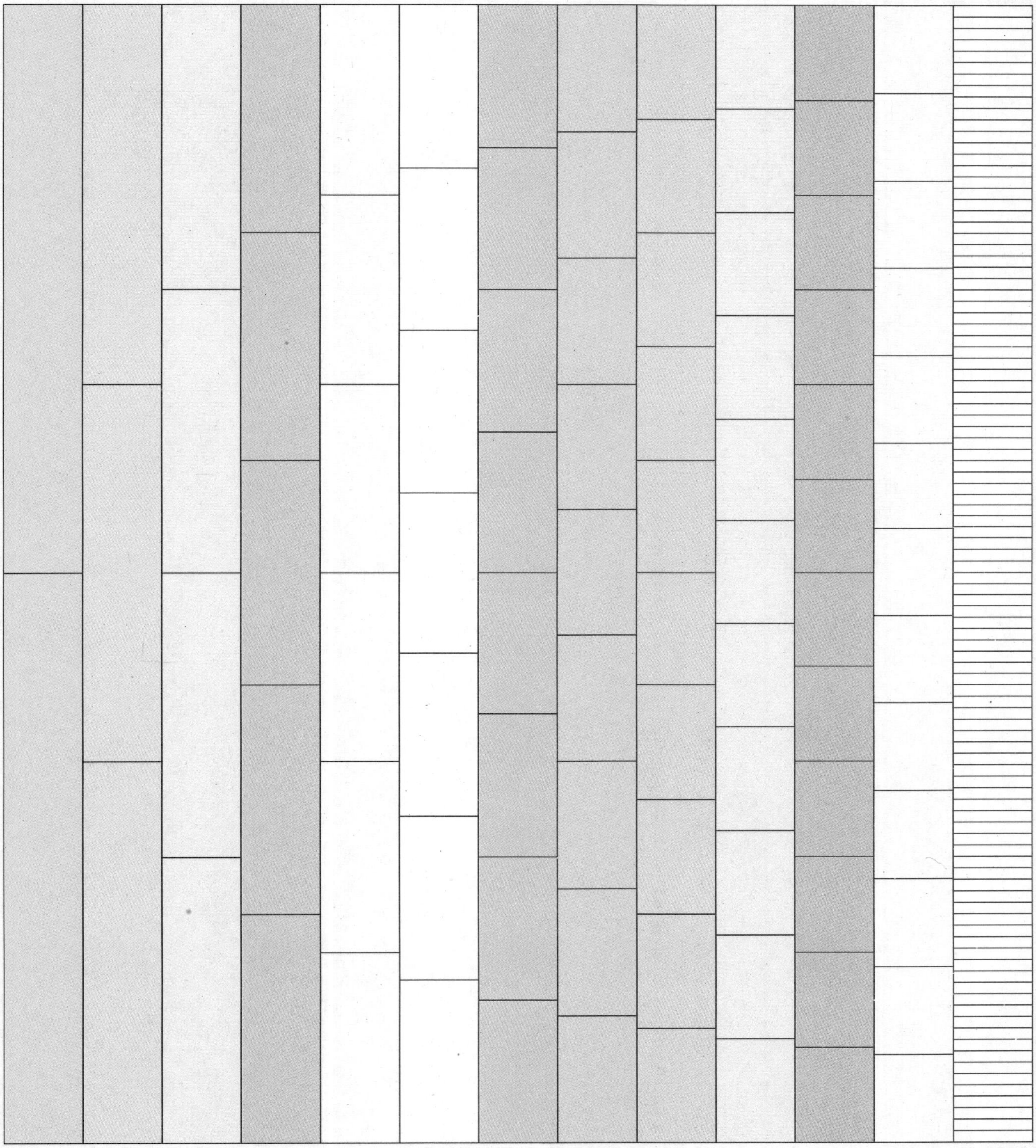

0	1
2	3
4	5
6	7
8	9

10	11	12	13	14	15	16	17	18

$\frac{1}{2}$	1	$\frac{3}{2}$	2	$\frac{5}{2}$	3	$\frac{7}{2}$	4	$\frac{9}{2}$

$\frac{1}{2}$	$\frac{3}{4}$	1	$\frac{5}{4}$	$\frac{3}{2}$	$\frac{7}{4}$	2	$\frac{9}{4}$	$\frac{5}{2}$

$\frac{1}{3}$	$\frac{2}{3}$	1	$\frac{4}{3}$	$\frac{5}{3}$	2	$\frac{7}{3}$	$\frac{8}{3}$	3